大王莲
da wang lian

凌寒 著

上海文化出版社

内 容 提 要

这是作者继她的《红唇游戏》、《一个人跳舞》之后所写的第三部反映都市男女情感生活的长篇小说。

小说的故事围绕着男青年陈名与两个女人的感情纠葛展开:陈名英俊潇洒,风流倜傥,他同时爱着美貌的林娓聪和清纯的向媛。后来他选择了林娓聪,并与之结为夫妇,但与向媛又藕断丝连,脚踩两条船。发觉受骗以后,向媛遭受极大刺激,决心报复,她以情人的面目出现,使陈名成为"一个不回家的人",同时不断地向他家里打骚扰电话,以此搅乱他们的家庭,拆散他们的婚姻,最终三个人都受到了深深的伤害。作品揭示的珍惜友情、珍惜家庭、洁身自好的主题,发人深省。

1

DISCARD

　　一件简简单单的羊毛衫，一条普普通通的黑裤子，穿在向媛的身上，会奇妙地显出清爽宜人、楚楚风姿来。向媛疏眉杏眼，举止文雅，虽算不上是个大美人，但她善于搭配穿着适合自己气质的服装，所以回头率还是挺高的。服饰是女人容貌的一部分，衣装不整齐就等于是容貌不端正。既然父母没有赋予羞花闭月的容貌，上天没有赐予沉鱼落雁的笑靥，就只有靠软件来弥补了。她是小学教师，收入并不高，买不起华丽昂贵的衣服，也买不起质地考究的名牌服饰，于是善于从衣料的平凡中搭配出不平凡来就是向媛的本领了。

　　"向老师漂亮。"那群三年级的小学生就是常常这样公开地或私底下评价他们年轻的班主任的。

　　"现在开始上课。"每天她都俨然像一位精神抖擞的统帅在巡查自己的军队，然后温和而坚定地说出这一成不变的六个字来。

　　她热爱她的工作，热爱她的学生，她天生就是母性的，她喜欢小孩子。虽然她二十四岁了，也许过于正统，所以在这之前还从来没有谈过恋爱，更没有接触过男人，但她常常幻想将

1

来她当母亲时的样子,她的孩子也会坐在课堂里,接受另外一个老师的教育。

下课后,她三步并做两步来到办公室,拉开抽屉,查看着CALL机,果然他又呼过她了。向媛的心中一阵甜蜜,脸上荡起一阵笑意。

陈名。她在心里温馨地念了一下这个名字,然后照号码打过去。

向媛还是选择了麦当劳餐厅与陈名共进晚餐,她说她就喜欢类似肯德基啊、必胜客啊这样整洁舒适的环境,不是喜欢吃那些洋快餐,而仅仅是迷恋那里的环境而已。而陈名则恰恰相反,他喜欢去一个中档的饭店,点上几个对胃口的小菜,快速吃完,然后找一家黑黝黝的咖啡厅,与女友卿卿我我。他最怕向媛点上一杯红茶,然后不断续杯,那这样一个美好的夜晚,就在灯火通明的距离中给糟蹋了。就算向媛和他吃完快餐走出店外,也一定坚持要到红茶坊里去,到底是她天生就喜欢这种亮堂堂的地方,还是担心在黑幕的掩盖下,让他占到便宜,或让自己迷失在男欢女爱里,这就无人知晓了。不过陈名一点也不生气,每次都是他顺了向媛的意。也许是因为她比他小八岁,他总有一种大哥哥让着小妹妹的情结在里面;也许是因为向媛实在是太纯了,在这个纷杂的社会环境里,还能保存下这样莲花般性格和品质的女孩,实在难能可贵,他不能辜负了这份纯洁。

向媛坐在他对面,偶尔喝上一小口红茶,微笑着谈论着某一个话题。陈名看着她的脸,她算不上是漂亮,但她的脸盘和整个人都含有一种说不出的文静温柔气质,显得质朴而清纯。或许就是因为这个原因吧,当上个月朋友将她介绍给他时,他没有推辞,而是欣然跨入了恋爱的进程。而与此同时,他一直仰慕着的梦中情人林娓聪刚刚接受了他所送的第一支红玫瑰。一丝内疚和歉意浮上了陈名的心头,但耳边这时又分明响起了母亲的话:脚踏两只船算什么,这叫普遍撒网,重点选择。只要一天没结婚,你一天就是自由身。过两天我同事还要给你介绍一个女朋友,是澳大利亚回来的,很有钱——

"你在想什么?"向媛见他突然发起呆来,提醒他道。

"哦。"陈名回过神来,"我在想待会儿我们去哪里。"

向媛羞涩地一笑:"就在这里聊聊不是很好吗?"

陈名扭动了一下腰部,舒展了一下四肢:"可我的屁股都要坐麻了。"

"那就回家吧。明天我还要上课呢。"

陈名扫兴地看了一下手表,才九点半。向媛比起他以前谈过的和现在正在接触的女朋友林娓聪,算是最最乏味的一个了。但她又是那样纯,纯得使人不忍放弃。

从公共汽车上下来,他们肩并着肩,随后又手拉着手走在一起。但当他们走到一个池塘旁边时,向媛停住了脚步:"我的家快到了,你别送了,回去吧。"

每次都是这样,送到这个池塘边,向媛就不让他再送下去了,以至于约会都六七趟了,他都不知道向媛家的具体方位。好像是在戒备他似的,陈名十分不痛快。

见面是高兴的,分手却是不愉快的。望着陈名踽踽远去的背影,渐渐在朦胧的夜色中走远了,消逝了,两行清泪从向媛的眼睛里夺眶而出,看见心爱的人因她的不信任而沮丧离去,向媛心如刀割。

她知道自己是有心理障碍的,她受母亲的毒害太深。母亲说这世界上难得有几个好男人,要她千万小心,千万擦亮眼睛,不可轻易相信一个人。母亲说这些话的时候,眼神是那样惨痛,声音又是那样苍老,令人不忍目睹,心酸心碎。

向媛立在池塘旁,有几滴眼泪掉了下去。夜晚的池塘,显得凄凉而阴冷。在这个大都市里,这样的池塘已经越来越少了,大多数都被填平,有的成了马路,有的成了花坛。而只有这个池塘,从她记事起留到了现在,它残败而荒凉,好像已给人类忘记了、遗弃了,孤零零地躺着,只有清风、飘尘在默默陪伴它。

这个池塘多像母亲啊,被父亲遗弃了,二十年的眼泪也足以蓄满这个小小的池塘了吧,自己是清风,弟弟是飘尘,凄凄惨惨地伴随了母亲二十年。

陈名,我爱你。你的倜傥英俊,你的能说会道,足以勾去一个纯真少女的魂魄。母亲,母亲那时也是这样爱着父亲的,并且爱得毫无保留,爱得没有自己。直到为他生下一双儿女后,才发现父亲背叛了他们神圣的爱情,第三者已像个瘟神一样从天而降。视爱情为生命的保守的母亲从那时起就失去了笑容,为了表示对父亲的决不原谅,离婚时她一个孩子也没有留给父亲,毅然用她女性的肩膀支起了这个家,负担起了他们姐弟俩的生活。那时她四岁,弟弟两岁。再艰难的日子,母亲都不接受父亲的馈赠;再孤单的时候,她也拒绝父亲进入这个家门。向媛只偷偷地和父亲见过几次面,弟弟则从懂事起就自动和父亲断绝父子关系了。她曾哭着问父亲为什么要背叛母亲,父亲哽咽良久才说了让她费解的一句话:男人和女人是不一样的。

男人和女人有什么不一样?难道男人就天生都是偷情

4

的、欺骗的？那陈名会如此吗？向嫒的周身起了一层鸡皮疙瘩。可女人总是要嫁的，阴阳结合，这是自然规律。

她选择成为一名小学老师，和她的家庭大有关联，她的家里只有阴云而难得见到阳光。而孩子们接受欢乐和幸福最迅速，和他们在一起也使人感到最亲切，因为他们生来就是幸福和欢乐的。向嫒太需要幸福和欢乐了，因为早在二十年前，父亲就把这两样东西带走了。

她抬起头，望着仿佛由池塘边的几棵饱经风霜的垂柳支撑着的黑色天空，将眼睛里的眼泪倒回源头。

又一层寒意降临到向嫒的身上，她打了个寒噤，抬腕看了一下手表：啊，已经11点半了。不知不觉中，她已独自一人在这里站了一个半小时，她得赶快回家了。母亲家规甚严，对母亲，她是又爱又怜又怕。母亲规定她最晚也不能超过十二点回家，她就像被施了魔法的灰姑娘，必须在午夜之前赶回去，惟恐遗失一只水晶鞋。

2

　　青松城大酒店的大堂里,林娓聪的身体在松软肥厚的沙发上飘飘然快速晃动着,同时,她的内心里也荡漾着柔和、轻快的微波。这是毫不留情地把前后左右纷沓的人流切断,而直奔自己的目标时的一种快感。

　　一双温厚的手从后面蒙住了她的眼睛。

　　"陈名。"林娓聪知道这就是陈名,虽然已经三十二岁了,而且还是公司的副总经理,但举止言谈还脱不了孩子气。也就是因为这个原因,所以在陈名苦苦追求了她好几个月后,她才勉强接受了这个英俊男子的爱情。

　　手从她的眼睛上撤了下来,一张看起来只有二十五六岁的青春的脸笑意盈盈地出现在她的面前。"我们去吃饭吧,你说去哪里?"

　　林娓聪把身体往后一仰,随手又把陈名给拉了下来:"先坐坐再说。"

　　他们的前方是一个喷水池,哗哗的流水声使人有一股清爽怡人的感觉。林娓聪都有点舍不得走了,她觉得这种感觉很舒服。但显然陈名没有这种感觉,他的屁股在不停地扭动。

林娓聪知道,因为性格的关系,他现在满肚子的话都是:该走了吧? 该走了吧? 只是怕她不高兴,而拼命忍住罢了。林娓聪实在不喜欢这种性格的男孩子,她喜欢的是那种深沉而成熟的男子汉。但她也相信姻缘前定,她能够拒绝众多的追求者,而和陈名坐在这张长沙发上就是一种缘分。

"走吧。"林娓聪站起来说,虽然她比陈名要小六岁,但是却要像照顾小弟弟一样地迁就陈名。就算如此,还是老被他说自己冷,说自己傲。也许在她面前,陈名天生就有一种自卑感吧,所以才会有那样的感觉。

"走。"陈名一下弹了起来。

林娓聪见他这个样子,想说:如获大赦了吧? 嘴唇蠕动两下,还是没有说出来。也许这种过分的外向,正是他朝气蓬勃的体现吧? 在这个竞争激烈的社会,人们的神经普遍紧张,或许陈名正是让生命这样运动,来缓解工作上的压力吧。

"我们去吃西餐?"陈名提议道。

林娓聪嫣然一笑,男人在与女人刚开始接触时,总喜欢带她们去吃西餐,来藉此卖弄一下自己所知道的一点用西餐时的皮毛规矩,女人若不常吃西餐或从来没吃过西餐,那男人就可以"优雅"地在一旁指点,弄得自己像个上档次的绅士,以期望得到女人的好感。

"好啊,我喜欢吃西餐,我和以前的男朋友就常常吃西餐。"

陈名的神情霎时黯淡下来,他知道今晚不能去吃西餐了,搞不好没有当成别人的"指导老师",反而成为别人的学生,弄出笑话,被心爱的女人取笑。他慌忙改口道:"其实西餐也并不好吃,我们还是随便找一家中餐厅填饱肚子吧。"

"好主意。"

林娓聪清澈的眼波和纯美的笑容让陈名有些手足无措，仿佛心中的秘密被看穿了一样。

林娓聪不喜欢吃那些汉堡包和鸡腿鸡翅之类的西式快餐，她喜欢点几个可口的小菜，一个小时下来就是一顿晚餐的结束，绝对一个享乐主义者。陈名认为这样的女子将来一定是有福气的，既不铺张浪费，又不艰苦朴素，不卑不亢，恰到好处。陈名不但满意她的容貌，还欣赏她这一性格。正因为非常喜欢她，所以陈名在乎林娓聪的过去，他不知道她和她过去的男朋友发展到哪一步了。这是他最耿耿于怀的地方，也是他认为这是林娓聪惟一不如向媛的地方。虽然陈名表面看起来是个活泼泼的大男孩子，但任何男人其实都有共同之处，那就是大男子主义，有的在表面，有的在潜意识里，最希望属于自己的珍宝是完美无瑕的。

"你谈过恋爱，那你们过去一定是很好的了?"陈名定睛看着她问。她常常使他的血管里燃起欲念，那她也一定常常使她以前的男朋友的血管里燃起欲念。一想到这里，陈名的心里就像有万千蚂蚁在爬。

林娓聪知道他的用意，她只是微微一笑，微笑中没有要辩解的意思，只表现出一种安闲而已。

"你怎么不回答?"陈名偏偏要打破沙锅问到底。

"你也谈过恋爱，当然应该知道在谈恋爱的时候两个人是会很好的。不过那是过去，就像你自己一样，现代人是不会缅怀过去的。过去就像晚上做的一个梦，时间会冲淡记忆，直至使它烟消云散。"

陈名显然对这个回答感到失望，因为从这个回答中他已得出了一个结论,那就是身边这个他所追求的,并且爱着的女郎,委身过其他的男人。虽然大家彼此彼此,陈名还是感到相当失望。

林娓聪抬腕看了看手表:"现在时间还早,不如我们去看场电影?"

灯火辉煌的小餐厅里,在这种通明的环境中,陈名看见林娓聪的姿色犹如被春雨润泽而初绽的蔷薇一般,有着荡人心魄的魅力。如此佳人,他还要如此苛刻,实在是太不近情理了。

走出餐厅,只见到处闪烁着耀眼的灯火,反映出都市之夜的活跃。陈名的心情是真真实实地高兴起来了,他天生就是个乐天派,再大的不顺心也很快就会忘却。这就是他遇事不追其深的原因,感情常常超过理智的性格。这种性格让自己时时处在无忧无虑的境界中,但这种性格也会在疏于对某些阴险小人的防范时,遭受到致命的伤害。

电影才开场两三分钟,林娓聪就感到陈名的一只手臂环上了她的腰,她刚要挣脱一下,却被他更紧地搂抱住:"我爱你。"她的右耳被他的脸紧紧地贴着,这句话就像是一碗热水灌入了耳朵。

林娓聪坐在电影院里摇曳不定的黑暗中,心灵也摇曳不定起来。她想到了那个年轻的大款,他还在等待着她答应带他去见她的父母。她怎么可以就在昨天还和别的男人花前月下,今夜却在接受另一个男人的爱抚。林娓聪是现代的,但她厌恶脚踩两只船,认为那样做不道德;林娓聪是开朗的,但她不会玩弄、伤害他人的感情。

林娓聪推开陈名的脸,却接触到一双清澈炽热的眼睛。她的心一跳,好像要窒息一样。陈名太漂亮也太热情了,这两个优点正在飞速地摧毁她坚守的意志,她感到自己马上就要成为俘虏了。她就像一个初涉爱河的少女一样,一味地跟着感觉走,哪怕走到天涯海角。

电影在一分一秒地播映着,他们却不知到底在放了些什么。林娓聪只看到陈名含在眼里那强烈的光辉,只感受到那温暖的呼气吹进她的耳鼓;陈名的鼻中只闻到一股股从林娓聪身上发出的清凉的香气,双手只感觉到她肌肤的柔滑。

两个小时的电影就像两分钟一样飞快地放完了,影院的灯不识相地全部打开了,周围的观众齐刷刷地站起来,组成流动的人墙,毫不留情地冲散了他们的热情。他们像不适应这突如其来的光明一样,愣了好一会才随人流一起涌到了街外。

好一个月白风清的夜啊。

"我们再找个地方坐坐吧。"陈名的一腔爱意还没有散去,温柔的眼神一刻也不能离开林娓聪。但林娓聪心中的柔情已经不复存在了,她的头脑开始清醒,与陈名才第二次单独交往,就热络成这样,似乎太不理智了。刚才在影院里她怎么就这样容易为情欲所牵引,当时她的肉体变得完全像流动的液体,只要用手指碰一下就会化成饱满的一滴水珠。如果当时陈名提出要发生两性关系,她怕也会同意了。这是因为爱,还是因为轻浮?她的双颊因为感到羞耻而火辣辣的,语气却像加冰的白水一样冷淡:"我们随便走走吧。"

陈名见林娓聪突然之间冷了下来,不由有些摸不到头脑,也许她还是觉得他配不上她吧。想到这一点,陈名高涨的情绪随即低落下来,他想到了向媛,也许他们才是般配的吧?

他们踏着溶溶月色朝前走着,心照不宣地朝着林娓聪家的方向走去。也许激情过后,只有短暂的分离才可以让爱情产生距离美,只有回到家中才能让人好好思考。

他们谁也没有开口说话,经过那么一场感情波澜,语言似乎软弱无力了。

又走了一段路,林娟聪彻底恢复过来:"我们算不算是在谈恋爱?"她突然问道。

"你说呢?"陈名反问道。

林娟聪侧过头看看他,真是神采飘逸,就像这春天月下的杨柳。就凭这份相貌,做他的女朋友也不算亏吧? 林娟聪笑起来:"可是你知道,我们的老板有规定,同一个公司的职员是不能谈恋爱的。一定要谈,必须由那个职务高的自动辞职才行。看来你离失业的日子不久了,再要去找一份月薪八千元的工作可不容易。"

"如果你在我们的事情还未公开之前就辞职的话,那我就不必引退了。而你要重新找一份一两千块钱薪水的工作却易如反掌,就算找不到,我的工资也足够养活你了,而且你不是一直想读研究生吗? 结婚后,如果不用上班的话,你就可以实现自己的这一愿望了。"

见陈名越说越兴奋,林娟聪不禁想泼泼他的冷水了:"听来是很有诱惑力,可你怎么就知道我一定会嫁给你呢? 如果没有嫁给你,我这样早就辞职了,岂不可惜? 你知道,老板打算要提升我了。"

陈名果然又情绪低落下来了:"你还是看不起我?"

"你怎么会这样自卑呢? 其实我们各有优缺点,都是一样的人。"林娟聪总在陈名熄火时给他添把柴,在火势烧旺时又泼点水。只有这样才能使急性子、外向热情的陈名不至于走得太远,也不至于靠得太近。

陈名又激动起来,他突然停下脚步,用自己的双手握住林娟聪的双手:"你嫁给我吧,你会发现我比你的父母对你要好上一百倍,至少我会让你达成心愿。我知道凭你的容貌和气质,完全可以找一个大款,做个阔太太。可是你想过没有,有钱人即使有再优秀的太太,依然会在外面三妻四妾,不然他会认为太对不起自己辛劳紧张的商海拼搏,对不起自己的肉体。你能忍受天天独守空房的孤寂吗?"

　　陈名的一番话叫林娟聪心动,甚至有些感动,这些话正说到了她的心里,使她心灵变得透明起来,但她还是说:"现在说这些还为时过早。我走累了,我们就在这石凳上坐一会吧。"陈名如果是火,她就不能是一把扇子,她只能是一缕轻风,将他的火势稍稍压低。

　　陈名在她的身边坐下,身后是一丛丛的矮树,在夜风中微微摇动。他仰面看着天,一弯新月挂在无垠的天空上,发出柔和的乳白色的光辉,在薄薄的云朵的后面,透露出银白色的月牙。他觉得林娟聪就像天上的月亮,捉摸不透。他想要是有水就好了,可以把月亮的影子倒映进去,就能触摸得到了。他又想到了向媛家附近的那个小池塘,常常倒映进月亮的影子。陈名骂了一声"该死",怎么又想到向媛了呢? 池塘和月亮,一个在天上,一个在地下,怎么就老是把它们联想到一块呢? 可向媛家附近的那个池塘里确实每天都能看见月亮啊。

　　"哎,想什么呢,这样出神?"林娟聪用胳膊肘戳了戳陈名。

　　我若是说我在想另外一个女人,非把你气死不可。陈名突然想看看林娟聪听到这句话后会有什么反应,他希望她有激烈的反应,说明她在乎他。于是他说:"我在想别的女人。"

　　"好啊,你想吧,我就不打搅你了。"林娟聪笑着说。

陈名失望地呼出一口气来,她究竟是太过自信,根本不相信他会和其他的女孩子交往,还是她根本就不在乎他?

林娓聪那双明亮的眼睛里露出一丝淘气的微笑,好像刚才干了一场恶作剧一样开心。没想到天生乐天派的陈名也会有失落的表情,那样子就像假扮深沉的孩子一样可爱。再沉默的陈名也没有成熟感,这就使人和他在一起时总是没有烦恼,或是忘了烦恼。

"回家吧。"林娓聪站起身来,发现屁股已是坐得一片冰凉。

"好吧。"陈名也站起来。

一辆"的士"从后面开过来,陈名挥手让它停下,不无体贴地对林娓聪说:"也走累了,明天还要早起上班,我送你回家。"

林娓聪与他相视一笑,两人牵着手钻进了出租车。

出租车到了林娓聪家停下。陈名目睹林娓聪上楼,她悄悄地登楼,身体柔软,脚步像猫似的轻盈。陈名的目光中充满了爱慕,还是林娓聪好啊,为人大方真诚,不像向媛,总像要防备着什么一样。是不是离异家庭的孩子都有心理障碍,总不如完整家庭中的孩子来得心理健全? 林娓聪才貌双全又身心健康,她才是最佳的妻子候选人。而那个心理不健全的向媛,应该是一脚把她踢开的时候了。但是她的温柔,她幽怨的眼神,她天真的笑容,她纯洁的举止,又是那样撩人心魄,让人放不下。

同时想到这两个女人的优点,那种巨大的无牵无挂的喜悦感又重新恢复,男人也许天生就是个不安分的东西,猎艳、猎奇,会把涌上的一点点负疚感摁到心房的最后一道门坎里去,不到万不得已,不会轻易打开。任何一种男人都一样,男人本来就是大同小异的家伙。

3

总经理办公室里，林娓聪和老总乔先生各自坐在自己的座位上，观看着一盘产品录象带。林娓聪拿眼偷看了一下乔先生，他动也不动，沉默得像一道墙，脸上没有任何表情。忽然，镜头画面出现了一对丰满的乳房，暗红的乳头散发着诱人的光彩。原来现在放到了丰乳宝的广告，台湾拍摄的录象带就是和大陆的不一样，这样充满暧昧和淫欲的丰胸，伴随着模特艳丽的脸盘一同展现在观众面前，在大陆的电视上是绝对看不到的。

林娓聪一阵心慌意乱，她感到脸颊在迅速发烫，和自己的上司单独看这种带子，好像是在看三级片，让人措手不及地无地自容。

林娓聪以为见多识广的乔先生不会像她那样感到不自在，这个年近五十的台湾人曾经在家乡有着显赫的身世，只是由于他的经营不善，而把祖上留下的庞大的产业折腾得差不多了，走投无路才想到来大陆发展。他在台湾有老婆和两个儿子，来上海短短几个月时间，已经包养了一个年轻美貌的"二奶"，并且出手大方，赠送了一套价值五十万的房子给那个

14

穷困潦倒的"二奶"及她的家人。乔先生品貌不凡,虽然身材矮小,却生得俊秀,风度翩翩,谈吐隽逸,看上去顶多只有三四十岁。林娓聪与他虽然共事只有两个多月时间,却互相有一种惺惺惺惺惺,英雄惜英雄的感觉。

乔先生一定与她一样,感到尴尬了。因为林娓聪看见他匆匆忙忙地抓过遥控器,揿着快进键,想把这组镜头快些放过去。可像有什么东西在作怪似的,这组镜头怎么也放不光,在快镜头中,一连串的乳房像生了腿的动物一样飞速向前跑着,好像后面有一个怪物在追赶它们,奔跑的镜头似乎永无止境。乔先生气恼地起身,"啪"的一下关了电视机。好像他就是那个怪物,因为追不到猎物只得扫兴而返。

林娓聪的心中荡起一丝丝的涟漪,她知道乔先生已经爱上了她,而且这种爱并不是通常的那种带肉欲的淫秽,它存在着一种小心、一股无奈、一点敬仰、一缕忧愁。如果不是这样,他就不会贸然关掉电视机,连正常的工作都受到了影响。林娓聪在这之前换过好几个单位,每一家公司的老板都无例外地爱上了她。但这种爱是自私的,是龌龊的,他们只是想行鱼水之欢,林娓聪就像一只惊弓之鸟,每每被追得落荒而逃。

林娓聪从录像机里抽出带子,对乔先生说:"我把这盘带子拿给企划经理看吧,让他看完后给你一个意见。"说话的时候,竟也带了羞涩,乔先生的魅力也在无形中吸引着她。

"小林,你先别忙着去,我有一件事想征求一下你的意见。"乔先生等林娓聪重新坐下后说,"你的文采如同去掉流沙的金子,时常发出闪光,头脑也灵活,思维也现代,我觉得或许你在企划部担任工作更能发挥你的特长,你认为呢?"

林娓聪觉得有点突然,他明明是喜欢自己的,怎么又要调

15

动自己的工作岗位？难道自己一直都是在自作多情？

　　见林娓聪从桌子对面一直看着他，活像看什么珍奇动物，乔先生自嘲地笑了一下："你不必误会，不是我认为你的秘书工作干得不好，而是觉得不能发挥你的特长。并且在你找男朋友的这个阶段里，职业是很重要的。现在在大多数人的头脑里，都根深蒂固地认为秘书都是老板的情人，特别是台湾人的秘书。你们大陆人总爱称我们为'台巴子'，这可真难听。"说到这里，乔先生又笑了一下，"这对于你这样一个优秀的女孩子来说，是不公平的。"

　　他的言语就好像刚修剪得很好的草坪，整整齐齐，没有一棵杂草。虽然听上去十分美丽，却假得厉害，让人怎么也无法感动起来。

　　看见林娓聪虽然收起目光，却露出一丝讥讽的笑容。乔先生几乎要忍不住对她说，他这样做完全是因为自己，他怕每天与这样一个优秀的女孩子在一起，会失去理智地爱上她，而这种爱是不会有结果的，最后不过是徒劳地凭添痛苦罢了。为了防止出现这样的后果，他只有临阵脱逃。

　　你太有吸引力了，你这个女人在用一种非凡的优美来装饰生命的外形和动作。他想这样对她说，但没有说出口，仅仅是想想罢了。

　　"既然老板这样为我着想，我只能说声谢谢了。"林娓聪挂上一种属于下属的笑容，恭恭敬敬地说。

　　乔先生的心中浮起一丝不舍，他偷偷朝林娓聪瞥了一眼，即使穿着这样朴素的上班服，梳着最随意的发型，她的形象依然楚楚动人。尽管他几乎阅尽天下美女，但是仍觉得她们难以同她媲美争辉，她的美不单单表现在外貌上，更有一种文人气质令人印象深刻。

"那就下个月调过去吧。"虽然心中不舒畅，但历经沧桑的脸上却露出了舒畅的笑颜。

"下个月？那还有好长的一段时间，我还以为你现在就要赶我走呢。"也许是受到这个舒畅笑容的假象的迷惑，林娓聪的心情却真的是舒畅起来了，她感到自己的这句话煞是有趣，不由忍不住笑了起来。乔先生也受到了感染，一时间，总经理室里洋溢着一片笑声。

林娓聪拿着录像带正欲给企划经理送去，中途却被陈名拦住了，他们的目光像闪电一样相互一瞥。他压低嗓音问："刚才你和乔先生因为什么事情笑得这样开心？连我在外面都听到了。"

"怎么，你吃醋了？"林娓聪掩饰不住笑颜反问。

"是的。"陈名直言不讳。

"那你对自己太没有自信心了，你总比个老头强吧？"

听到这句话，陈名像吃了一颗定心丸："下班后一起走？"

"我们不能这样明目张胆，要想和我约会，只有等到休息日。你看我们只说了这么几句话，就已经有许多眼睛在看我们了。"

陈名环顾四周，果然看见一双双充满警惕和妒忌的眼睛。林娓聪太有魅力了，她赢得了全公司未婚男子的心，谁都把她定为心中的偶像。只要有一个人发现了他和林娓聪的秘密，他就有失业的危险，而再在外面找一份每月近万元薪水的工作是不容易的。

陈名无可奈何地离开林娓聪，他的头脑里在盘算着怎样让林娓聪快点辞职，这样可以省却许多烦恼。但他知道这并不容易,林娓聪只有认定他是未来的丈夫,才有可能放弃这里的工作。可她有那么多追求者,她怎会轻易将自己定位下来呢? 他又不由自主地想到了向媛,还是不出色的女孩省心,还是封闭的女孩安全。不如给她打下呼机吧,约她晚上见面,这可是个相当不错的候补队员。

一到下班的时间,林娓聪就看见陈名步履匆匆地走了,连正眼也没有看她一下,更别说一个招呼或一个微笑了。林娓聪的心里有些不爽,就因为自己说了那些话,就把他给吓成那个样子了吗? 就算被开除又怎样呢? 她心目中的男人是应该具备"此处不留爷,自有留爷处"的豪爽性格。但转念一想,十全十美的人大概在这世界上本来就不存在吧? 太过苛求,迟早有一天会成为老姑娘的。她会心地笑了一下,陈名先走一步也好。这样他就看不见一个年轻的大款开着豪华的"宝马"来接她了。

林娓聪步出办公大楼,阳光开始显得有些有气无力,西边的天际也开始格外火红起来。春天在一天的 24 个小时中,哪个时间都是美的。而大楼前停着的那白色的庞然大物,更为春天童话般的境界带来一种既现实又梦幻的东西。

林娓聪拉开车门,冲驾驶座位上一个老气横秋、面容疲倦、目光呆滞的年轻人打了一声招呼:"嗨,你好!"

这个叫历干的年轻人看见林娓聪出现,咧开嘴巴露出一丝笑容,身上也稍稍恢复了点精神:"上车,我们去吃饭。"

林娓聪坐在他身边,从他身上传来一股难闻的烟臭味。

"你今天又吸了很多烟? 你自己不也常说吸烟有害健康吗?"

面对林娓聪的质问,历干用一种分外徐缓的语调说道:

"累啊,不抽不行。"

林娓聪侧头看着他,这是一个财运非常好的人,二十岁那年买原始股赚了一大票,此后以此为资本一直在商海里拼搏,只赢不赔。现在又在从事房地产的生意,年纪轻轻就已是腰缠万贯的款爷了。也许是过度的疲劳,使三十岁的他已经谢了顶,看起来足有四十多岁,而且永远是一脸的倦容。

林娓聪从心底里涌上一股怜悯之情,身上不由自主地就产生了一种女性的柔美,她温言软语地说:"钱是身外之物,自己的身体是最重要的,不要太拼命了。"

历干连头都没有转动一下,好像她体贴的话和她的美貌只不过是稀薄的空气一般。

林娓聪无声地叹了一口气,也难怪,在这个拜金的时代里,有多少功利的妖媚女子会对他献殷勤,他是看得太多了,听得已经麻木了。林娓聪突然后悔与这样一个男人谈恋爱,这种人适合于做丈夫吗?她并不是太看中金钱的,她追求的是两个人在一起时的感觉。她想到了陈名,和他在一起,两人都很轻松,有说不完的话。不像与历干在一起,沉闷、无聊、受气。这么一想,马上觉得此时此刻真是没劲透了。

"到这一家吃饭吧?不,那里的鱼翅味道不好。那去'金粤渔村',不行,那里太吵。还是去星级宾馆吧,可是去哪一家好呢?"一路上,历干没有其他的话,也不知道是不是在自说自话,脑子里一味地盘算着吃,却并不明确地去征求一下身边妙龄女郎的意见。汽车音响开得很响,满街找高档饭店。

整个一个俗物。林娓聪暗骂一声。她冷笑一下:"吃一顿饭就这样麻烦吗?你开着车在上海街头转来转去,如此做法,带来的结果无非是加重空气污染,使臭氧层遭到破坏,噪音增多,人们神经紧张,地下资源枯竭。"

历干"嘎"一下停下了车,吃惊地盯着林娓聪的脸看。他的表情更激起林娓聪要好好讽刺一下他的念头:"现在人流如潮,个个行色匆匆,你却在找饭店上浪费这么多时间,怪不得你总没有时间休息,因为你根本就不懂得怎样合理安排时间。你看到处是鳞次栉比的高楼大厦,绚丽多彩的霓虹灯都开始闪烁起它那令人眼花缭乱的光芒了。可是我们两个却饿着肚子,满世界地乱转,多么可怜。"

历干觉得林娓聪正在说的话就像一团飘忽不定的火焰在空气中颤动起来,这些话让他感到新鲜。他知道自己为什么这样喜欢林娓聪了,她并不是他认识的女孩中最漂亮的,但她是他认识的女孩中最出色的。

"决定了,我们到新锦江最高一层的旋转餐厅吃自助餐。"突然,历干不知动用了大脑里的哪根神经,猛地从犹豫不决中走出来,头脑变得异常清醒。

林娓聪望着加快速度开车的历干,用调侃的语气问道:"怎么又突然决定了? 不改变了?"

"不改变了,因为那地方最适合你这种人。"历干边专心致志地开车边回答她。

"适合我? 怎么说?"

"和你的伶俐的口才相比,我的笨嘴笨舌简直成了一种负担。我不知道该怎样形容,反正你想想好了,你是个怎样的人,是不是像旋转餐厅一样高贵、浪漫、独特。和你在一起,一不留神就转没了方向。"

听了这番话,林娓聪的心情舒畅起来,刚才对他的恶感也消失了,她的口气又恢复了柔和,连她自己都不明白刚才她怎么会说出这样尖刻的话来。"不用这么谦虚,说自己笨嘴笨舌,我看你比谁都会说。是不是经常这样嘴上涂蜜地去恭维人家小姑娘?"

"我恭维别人? 你认为可能吗? 只有小姑娘来恭维我。"历干的脸上露出了傲慢和鄙夷的神态。

"恭维你? 是恭维你口袋里的钱吧?"林娓聪的话语又尖刻起来,差不多要说"难道还会恭维你的秃顶吗"。

"我懒得同你舌来唇去。你仗着肚子里有些货色,就随意刻薄人。好了,到了,下车,我们上去。"

听他这么一说,林娓聪的话头也赶紧打住。本来就是两个世界里的人,又怎么可以以自己的为人处事的方法来要求别人呢? 面对金钱,那笼罩在文明之上的华盖已经黯然无光。她又怎能苛求一个在惊涛骇浪中获得事业成功的年轻人,在生活上处处为别人着想呢? 他所有的精力都过早地投放到了生意场上,他只需要别人对他的关怀照顾,而不需要反馈。唯一的反馈,也是他认为的最好的反馈方式,就是金钱的付出。

林娓聪与历干面对面地坐在旋转餐厅的椅子上,墙是玻璃的,一转眼就可以看清大上海的面貌。高楼下的城市,仿佛无数条天上的银河落在了地上,流光溢彩。

"你不去拿些吃的?"历干问道。

林娓聪转回头看着他面前空空如也的盘子反问:"你也不去拿些吃的?"

历干往后一靠:"你去替我拿些吃的吧,我实在累得不想动。"

林娓聪又感到憋气了,她想到了陈名,每次都是陈名人前人后地为她效劳。哪有要女伴为男友效力的道理,又不是夫妻,可以随便得什么都不讲究。就算是夫妻,也应该懂得体谅对方的心绪。

"好吧,大少爷,你要吃些什么?"她忍气吞声道。

"随便,只要是你拿的我都吃。"历干嬉皮笑脸地摆了一下手。

林娓聪撇了一下嘴,向那只巨大的转盘走去。

当她托着两只装得满满的盘子好不容易找到"回家的路"时,发现历干已经坐在椅子上,头朝后仰着睡着了。

"喂,大少爷。"林娓聪放下盘子,哭笑不得地推醒他,"这里的每分钟都是算钞票的,你找的这家旅馆也太贵了吧?"

"啊?"历干被惊醒了,睁开眼睛,看见一双一清见底的漂亮眸子,"我睡着了吗?"

林娓聪没好气地坐回座位:"既然这么累,今天就不应该出来。吃完饭早些回家吧。"

"哎。"历干伸了一下懒腰,"我哪一天不是这么累? 难道就天天不见你了?"他低头拿起刀叉:"哇,你这么懒? 一次拿这么多?"

"名师出高徒嘛。"

"什么?"

"懒是一种传染病,会传染人的。"

历干忍不住笑起来:"你是在嘲笑我刚才不小心睡着了啊。我刚才确实是累了,正陷在一种疲惫不堪和什么也不想干的精神状态中。不过现在好了,打了个盹,已经精神百倍了。"

"是吗? 那再拿食物的时候,可要劳驾你大少爷去了。"

历干含情脉脉地看着她:"不过我还是希望你去。你走过

22

去的时候,背影是那样苗条;拿东西的时候,举止又是那样袅娜洒脱。看着如此风雅的女郎,是一种享受。"

林娲聪避开他的目光:"再也没有比你更无赖的人了,为自己的懒惰寻找美丽的借口。"

历干笑了。接着两人一时无话,就各自吃着自己盘中的菜肴。林娲聪边吃边欣赏玻璃墙外的夜景,幽暗的夜空泛着银光,一颗金色的星星,从深奥莫测的苍穹,从遥远的银河深处,若隐若现,友爱地向她眨着眼睛。而历干则边吃边注视着林娲聪那张漂亮的脸蛋,那是一张现代美和古典美结合在一起的近似于完美的脸庞。现在这张脸除了吃东西时是正面,其余的时候都是侧面,而她的侧面正是她俏丽的最佳所在。历干脸上的温柔神情加深了,此时的笑容让他看上去年轻了十多岁,那是一种大孩子的笑:"什么时候让我去见你的父母?这已经是我的第二次请求了。"

林娲聪放下刀叉,支着下颏说:"我说,你也太草率了吧?我们这才第四次见面,我们谁都不了解谁。"

"服务员,结账。"历干突然招手。

"怎么了? 不吃了?"林娲聪诧异道。

"我带你去个地方。你若没吃饱,待会再去吃夜宵。"

林娲聪觉得有钱的年轻人真是莫名其妙,挥霍自己辛辛苦苦赚来的钱不算,而且想到哪就走到哪。既年轻又有钱,和这样的人在一起实在没有安全感。

"怎么就走了,旋转餐厅的优越处还没有来得及欣赏呢。"林娲聪跟在十万火急的历干身后边往外走边问。

"下次再来看风景吧。我现在带你去一个比这儿还要幽雅浪漫的地方,就在这附近。因为我们现在谈到了有关上门的问题,这个问题不适合在餐厅谈。"历干边走边兴致勃勃地说。

林娓聪无奈地摇摇头:"真吃不消你,有的时候沉闷得像堵墙,有的时候又罗曼蒂克得过了头。"

他们走进附近的一个酒吧,一个与众不同的酒吧。细长的吧廊中间深海般的漆黑,两边的一张张桌子上亮着蜡烛似的小灯。没有污七八糟的感觉,而是透着静谧祥和的气氛。

"怎么样,是不是很配你的胃口?"历干把她拉到座位上问。

"你倒是越来越了解我了。"林娓聪颇有些心情复杂地说。

"知己知彼,百战百胜嘛。"历干说完,没有征求林娓聪的意见,就径直点了两杯 VODKA。

"我不喝这种酒。"林娓聪蹙起眉头。

"今天必须喝,因为我现在向你求婚。"

林娓聪茫然不解地凝视着历干,分不清这是笑谈还是真话:"我不喜欢你开这种玩笑。"

"我怎么是在开玩笑呢?我是说真的。"历干有些发急,他的屁股都离开了座位。

"可我们才认识多久?彼此都缺乏了解。"

"怎么不了解呢?我知道你叫林娓聪,白领小姐,二十六岁,学历本科。你知道我叫历干,生意人,三十岁还不到一点点。这些还不够吗?至于其他的小方面,结婚以后再了解吧。"一口气说完这一长串,酒正好端上来,历干一气喝了大半杯,静等林娓聪的反应。

林娓聪也学他的样子端起酒杯,但只是呷了一口。酒有股辛辣的药味儿,她喝不惯,就像看不惯历干的所作所为。

"开玩笑,若是结婚以后发现彼此不合适呢?"

"不会不合适的。你难道不相信我的眼光吗? 我若没有很好的眼光,怎么会在生意场上一帆风顺。"

林娓聪感到胸口发闷,于是发出的声音也有些发闷:"我不是不相信你的眼光,而是不相信我的眼光。"

烈酒很快就发生了作用,此时历干看林娓聪的脸有些朦胧不清,就像黄昏里的花朵。借着这几分醉意,他的双脚突然在桌子底下用力而又迅速地分开了她的双腿,好像做爱的姿势一样:"有多少女孩想成为我的妻子,有的甚至主动投怀送抱。可我只对你动心,只喜欢你。你还有什么不知足的?"

历干突如其来的动作让林娓聪觉得受到了莫大的侮辱,虽然这个动作本身具有极大的挑逗刺激性,激起了她生理上的反应,但心理上的厌恶让她正色道:"缩回你的臭脚! 你连最起码的尊重对方都不知道,还谈什么婚娶? 就算要娶,你也只配娶那些层次低下,眼睛里只认得钱的破鞋。"

历干收回脚,讪笑着说:"这么秀气的女孩子,嘴巴里却说这样粗鲁的话,实在是不般配。不过也挺好玩的。"

林娓聪此时觉得他的每句话都那么不顺耳,包括那"好玩"两字,平时听来也许不觉得什么,但此刻听起来却也有一种花花公子玩弄女性的味道在里面。林娓聪不明白自己怎么会和这样一个与自己生活在两个世界里的人坐在这里,难道就仅仅因为他有钱? 难道她竟也成了把金钱看得高于一切的俗物,会用金钱来换取一生的幸福? 再也没有比这更错的一步棋了。

"我觉得我们不合适,还是分手吧。"

"啊?"历干像不相信自己的耳朵一样问,"你说什么? 为什么?"这个高傲的男人认为他的爱情应当结出美丽的果实,他不相信会轻易夭折。

"因为你太有钱了。"

"这也算缺点?"

"对,你从来没有意识到这点吧?因为有钱令你骄傲,使越来越多的人想靠拢你,特别是女人。所以你沾沾自喜,从来认识不到自己的缺点,就算认识也不会去改正。有钱的男人是不能给女人带来安全感的,如果成熟还好些;年轻的男人也是不能给女人带来安全感的,如果平凡还好些。你既有钱又年轻,很危险,且没有情趣没有文化,和你在一起,除了从浪费金钱中享受到无聊的快感,别无乐趣。"

林娓聪这番滔滔不绝的话听得历干一愣一愣的,好半天才憋出一句:"既然我在你的心目中如此不堪,那这些日子你还跟我在一起干什么?"

"这些日子不跟你在一起,我怎么知道你如此不堪呢?"

历干咬着牙点点头,没想到这个看上去水晶一般千娇百媚、顾盼生辉的女孩儿竟这样厉害。由于感情冲动,他的声调越来越急:"你算了吧,说得好听。你态度的突然变化,不是因为突然发现了我的所有缺点,而是你已经爱上了别人。我若连这点都看不出来,怎么能在险恶的商海中立足。你不要不承认!"

林娓聪愣了一下,是这个原因吗?她细细想了一下,果真如此,陈名已在不知不觉中占领了她的心房,恰如某种气体自然而然地悄悄进入某处空间。

"怎么样,被我说中了吧?"见林娓聪不出声,历干恶声恶气地问道。

"对不起,我上个洗手间。"林娓聪迅速离座,像要避开这恶意的气氛似的进了洗手间。

躲在洗手间里,林娓聪茫然地对着镜子回忆着她和陈名之间的事情,他们之间真的已经产生了浓厚的感情了吗? 但是这些感情在此刻回想起来却朦胧不清,混乱不堪,就像哗哗流淌的河水底下的一块石头,闪烁不定,变幻莫测。阴影不时涌来,又悠忽散去,终于构不成一个图形。林娓聪摇了摇头,把脑子里的一盘散沙给摇出去。还是解决当前的问题吧,那个历干怎么样? 她走出卫生间,看见历干正在结账。她突然觉得有点对不起他,歉意使她脸上的笑显得无比温柔,她走过去问:"这就走了吗?"

"都要分手了,还干坐着干什么?"历干无视她脸上温柔的笑容,用冰冷的口气回答她。

林娓聪甚为尴尬:"你不用送我了,我打车回去好了。"

"这点风度我还是有的。走吧。"

林娓聪的尴尬和内疚更甚,她轻轻跟在他身后,小心翼翼地问:"你不会怪我吧? 我们只是性格不合,其实我觉得你这个人还不算坏。"

历干情绪低落,勉强支支吾吾了几声就陷入了沉默。

一路上,历干一直闷声不响地开着车,林娓聪自知理亏也不敢再开口,就这样一路沉默地把车开到了林娓聪的家门口。

临下车,林娓聪觉得出于礼貌也应该说些什么,她哼哼地笑了两声说:"我走了,祝你找到你的真爱。"

林娓聪正欲下车,历干出其不意地从后面一把抱住她。林娓聪条件反射地回过头来,历干乘机强行地狠狠地吻着她。林娓聪又气又急又惊,拼命挣扎着,脖子却被他的双手勒得喘不过气来。这是一种典型的虐待狂和报复性的偏执狂反应。因为长期吸烟,历干的口腔里发出一股难闻的、让人作呕的恶臭。林娓聪几乎要昏厥过去。

历干放开她,眼睛充血,凶光炯炯:"你的新欢比我有钱吗?让你这样耍我。"

林娓聪此时觉得历干的脸是从未有过的丑陋,她真想扇他一巴掌,但他目光中的凶光却让她胆战心惊,她声音颤抖地说:"我没有耍你,而是你连最起码的尊重别人的简单道理都不知道。我要爱的人并不需要有太多钱,但他应当纯洁,更应当懂得怎样去尊重他所爱的人。你懂吗?尊重远比金钱要重要一百倍。"丢下这句话,林娓聪忙不迭地从车上逃下来,以一只小牝鹿正要逃避猎人的箭头似的敏捷,用小跑步进了楼房。

口腔里历干留下的臭味经久不散,林娓聪连刷两遍牙才感到恶心减轻。她颓然倒在床上,心有余悸却又如释重负。

4

　　和煦的春风懒洋洋地吹动飘摇的垂柳,云儿像一张张白色的满帆在碧蓝的天空中翱翔。向媛手扶着漆得跟天空一个颜色的栏杆,看着操场上正在上体育课的孩子们。她的唇边始终挂着一抹淡笑,消失不去,因为她今天的心情实在是太好了。难怪有人说恋爱中的女人是最幸福的,一直以来,因为家庭的不幸,父母的离异,向媛很少体会到幸福的含义。但自从认识了陈名,这种幸福的感觉就时常会出现在她的感觉里。他搅动了她灵魂的波浪,使沉睡在下面的东西升到表面上来了。尤其是今天,这种感触更为强烈。因为昨晚陈名吻了她,虽然只是轻轻点到了一点,她也感到心灵的震颤。昨天晚上他们相处得越来越好,陈名情不自禁就想吻她。她从来就没被男人吻过,惊慌失措地躲开了,但嘴唇还是被陈名那富有弹性的嘴唇点到了。当时她面红耳赤。一半是因为恐慌,一半则是因为幸福。见到她那个纯情的样子,陈名善意地笑了。啊,再也没有比那样的笑容更迷人的了。昨夜的月光是这样的朦胧,花影是这样的扶疏,她全身都沉浸在微妙难言的春夜感觉当中,这种感觉一直延伸到现在都没有消退一点点。

"嗨,甜蜜蜜的样子,又在想你的那个男朋友了吧?"

一只手在她肩上拍了一下,向媛猛地睁开了眼睛,一脸惶恐,待看清是电话总机接线员黄美娴时,她才松了一口气:"冷不防吓人一跳。你怎么不好好在电话间呆着,却跑上来了?要是来电话了怎么办?"

黄美娴是向媛在这所小学里最要好的一个朋友,两人的年龄也相仿,又是差不多一个时间来这所小学报到的,所以特别投机。向媛做事一向保守,她有男朋友的事情谁也不知道,她只偷偷告诉了黄美娴一个人。

"我上厕所,楼下的太脏,我喜欢上楼上的。"黄美娴两手撑在栏杆上,仰头看着天空。在辽阔蔚蓝的天空里低低地点缀着几朵洁白的、棉絮般的浮云。"站在楼上看蓝天白云,感觉都是不一样的。我成天待在电话间里,别提有多寂寞了,连个说话的人都没有。"

向媛撩起眼皮看了黄美娴一眼,然后极其轻微地漾出笑意:"你先下去,别耽误了工作,给校长看见了就更不好了。一会儿我下来陪你聊天。"

"小孩子就像一群唧唧喳喳的小鸟。"黄美娴抛下这句话就下楼了。

向媛一愣,多么形象的比喻啊,更确切的说法是一群快乐的小鸟。向媛仰望蓝天,因为眼睛里有一种东西好像要流下来。她发现自己患有精神忧郁症,即使已经有了最爱的男友,这种忧郁症还是没有缓解。童年的记忆可以影响一个人的一生,上一辈人的痛苦会延续给下一代人。她的童年没有欢笑,就算是一只小鸟,也是一只哑声的小鸟。

天空中云雾淡薄,逐渐逐渐云雾淡薄的部分多起来了。

其中有一个角落，看来再过一会，就会被风吹起，从缝隙中透露出蔚蓝的苍穹了。

陈名，我爱你。

向媛真的是爱陈名，她以前经常想到要自杀，但自从爱上了陈名，这种想法一次也没有在脑海里出现过。

向媛的视线又从天上转到了地上，操场上，春天的嫩草穿过坚硬的泥土，伸出了它们尖尖的小舌头。啊，它们的形状多么像陈名的舌头啊。

"嘀铃铃"，清脆的下课铃声出其不意地高歌起来。向媛蓦然惊醒，该从儿女情长中走出来了，下一堂是语文课，她该利用这十分钟的休息时间准备准备了。

刚走进办公室，桌上的电话就响了起来。向媛以为是黄美娴打来兴师问罪的："为什么没下来陪我呀？说得倒好听。还是在想陈名吧？重色轻友！"没想到却是妈妈打来的，向媛很奇怪，妈妈没有事情是不会打电话到学校里来的。会有什么事情呢？

"媛媛吗？你今天晚上的夜校不要去了，早些回家吃饭。你阿姨给你介绍男朋友，虽说年纪大了些，有四十了。不过人品很好，而且久居国外——"

向媛一听就反感，现在她心里只有陈名，再听到别的男人，她打心眼里厌恶。她打断母亲兴冲冲的话题："您别再说了，我现在没有谈恋爱的心情。学校里竞争很激烈，新分配进来的老师都是大专毕业生。我若不快些拿到大专文凭，就要被淘汰了。总不见得我这个老资格的大姐姐还要受那些不可一世的小妹妹的摆布吧？"

"妈妈知道你现在压力很大，所以才托你阿姨给你介绍一个外面的人做老公。国内的小学老师有什么可当的,还是到国外去享福吧。"

淳朴的母亲什么时候也变得如此现实势利了?难道时代的前进,把老年人也给带动了?向媛不耐烦起来:"这件事不要再提了。我今年刚24岁,你却要我找一个四十岁的男人,你是要我叫他爸爸好还是叔叔好?今天我不回来吃晚饭了,我一堂课也不想拉。"

"你这个孩子怎么这样顽固?"母亲显然也动了怒,"找大点的才知道体贴妻子。不像你爸爸,只比妈妈大一岁,从来也不知道关心妈妈。妈妈生了两个孩子,变老了,他就到外面去花心去了。难道你要走妈妈的老路?"

向媛看了一下表:"你真能搅和,都快要上课了,我还没准备呢。这件事以后再说,我挂电话了。"

放下电话,还没来得及等她静下心来,上课铃声已经催命鬼一样尖叫起来。向媛匆匆抱起一摞书、本子和备课教材,大步流星地来到教室。

向媛的心给刚才的电话搅得很乱,她知道母亲的顽固个性,只要是她认定的事情,九头牛也拉不回来。这也就是在父亲已经认错的情况下,她都死不罢休,非要搞得家无宁日,一拍两散的结果。向媛的心已经给了陈名,容不下第二个人。但此事她还没有对妈妈说过,她认为时机还不够成熟,对女儿的关心爱护以及本身的多疑性格会使这位中国伟大的劳动妇女天天把女儿盘问得焦头烂额的。对妈妈的感情,向媛一半是同情爱戴,一半是厌烦害怕。每次和陈名约会,她都谎称和同学一起玩。她要等到陈名向她求婚的那一天,再把他们的事情向妈妈公开。不知为什么,对于陈名会不会向她求婚,她一直没有把握。可能是自己没有陈名漂亮,所以深深的自卑感埋藏在心里,常常折磨着她。

向媛心烦意乱。连上课也没有心思了,课才上了一半,就被她临时改换成作文课了。此时她觉得自己这个班主任真是不称职。就是被那些新来的应届毕业的大专生淘汰也没有什么冤枉的。才当了五年的小学老师,想象力已经变得很苍白了,作文的题目又是《记一件难忘的事》。

学生们在埋头写作文,向媛踱到窗边,窗外花坛里绿色的植物很葱茏,看见这片自然的产物,向媛焦躁的心情渐渐平稳下来,她上课的兴趣又上来了,但已不可能再叫同学们放下手中的笔来听她讲课。

向媛走到教室门口四下张望了一下,一个人也没有。她心平气和地回到讲台旁,搬了把椅子坐下,心安理得地翻开晚上夜校要上的课——外国文学之欧美部分。上堂课上到第326页,托翁的生平和创作。列夫·尼古拉耶维奇·托尔斯泰(1828—1910)是19世纪俄国批判现实主义文学的杰出代表。列宁称他是伟大的艺术家,指出他在半世纪以上的文学活动中创作了许多杰出作品,他所提出的重大问题和所取得的艺术成就,使他的作品在世界文学中占有重要的地位。

好像传来一阵脚步声。向媛慌忙将书合上,用备课材料盖在上面。

"向老师。"原来是黑黑瘦瘦、个子矮小的大龄未婚青年、体育老师顾伟来找她,一看到向媛,他的一双鼠眼就开始放光。

"嘘!"向媛把手指头贴在玫瑰色的嘴唇上,做了一个禁声的动作,然后走到门外,"什么事?"

"在上作文课呢?"顾伟的笑容就像天上的太阳——夺目、灿烂,只是让人不敢正视。

"唔。"向嫒点点头,"有事吗?"

"是这样的,"向嫒注意到他说话的时候双拳紧握,里面一定憋出一手汗来,紧张得人都有些发抖,"我有两张今晚的电影票,本来说好和弟弟一起去看的,他临时有事。不知道你有没有空,一……一起去? 晚饭我请。"

向嫒吃了一惊,同时一阵恶心,就这样的人也敢来追求她?"哦,这不行,今晚我还要上夜校呢,你找别人看去吧。"

"那明天呢?"见向嫒要回教室,顾伟连忙追问了一句。

"咦? 你不是今天的电影吗? 怎么问明天我有没有空?"向嫒故意问,目光直视他的眼睛。

"哦,对对,你看我都糊涂了。"说完这句话,顾伟一溜烟地跑了。他觉得向嫒的目光比太阳还要厉害,把他的五脏六腑都给射穿了。

向嫒冲他的背影做了一个鄙夷的表情:也不撒泡尿照照,癞蛤蟆想吃天鹅肉。

她继续回到自己的座位上看书——托翁的生平和主要作品简介。看倦时她抬头望望窗外,窗外花坛里种着的几株矮树正对着她。此时绿叶披着阳光,深深浅浅晕成许多层次。叶缝里更泻进细碎的金光,风过去,烁烁闪动,每每引起人许多游移不定的但又深沉的幻想。和陈名结婚,生个小孩,安安静静地当一辈子的小学老师,平淡中透着幸福,得此一生,童年的任何不幸都可以弥补了。

下课铃声毫不知怜香惜玉地冲刷了向嫒脸上沉醉的笑容,她站起身来问:"有没有同学把作文写好? 写好的请举手。"

几个作文尖子举起了手,向媛冲这几个很可能是未来的大作家的孩子点点头:"好,你们几个把作文本交上来,其余的同学带回家写,明天早上交给课代表。现在下课吧。"

当她刚走出教室门口,就听见一个女生的尖叫声。她马上折回教室,看见班上的调皮大王正在欺负班上长相最丑、个子最矮、学习最差、家境最穷的桂丹霜。这样的一个女生,谁看了也不会喜欢的,但向媛是他们的老师,是人类灵魂的工程师,她必须严厉地制止调皮大王的这种行为:"霍风军,你又在欺负桂丹霜了?"

"没有,我只是问她借一块橡皮,她却以为我要抢她的。向老师,你以后叫她不要这样大惊小怪的,她这样穷,谁会抢她的东西。"霍风军回答的口气,仿佛对老师的任何质问,都已经作好充分的准备似的。这使向媛在还没有教育他之前,已经感到相当失望。现在的小孩子是越来越聪明了,有的时候智商比老师还要高。

"桂丹霜,是这样的吗?"她转向那个丑小鸭。

"橡皮断了。"桂丹霜把断成两截的橡皮举到向媛面前,然而向媛的目光没有首先落到橡皮上,而是被桂丹霜的手吸引住了,她的手就像牛皮那样粗糙,沙石那样的颜色。向媛以为她戴着一幅旧手套,哪知道这原来就是她的手。

向媛的心抽紧了,那要干多少粗活才会有这样的一双手啊。她知道桂丹霜家境贫寒,家里五六口人全挤在一间破屋里,而且除了桂丹霜,全是大男人。但她不知道桂丹霜竟然要劳作如此,难怪她的学习成绩会最差,个子会最矮,外表会最丑陋。

"橡皮怎么会断了?"她按捺下惊诧问道。

"是霍风军弄断的。"桂丹霜抽抽噎噎地说,眼泪扑簌簌地直淌下来。

"不是我,是她自己弄断的。"霍风军抢在向嫒的质问之前嚷道。

"不要再说了。霍风军,你赔一块橡皮给桂丹霜。"向嫒果断地命令道。

"不是我弄的,为什么要我赔? 你们没有证据证明是我弄断的。"霍风军不服气地说。恐怕是破案的电视剧看得不少,口气像个油子罪犯。

"就是因为没有证据证明是你弄坏的橡皮,所以才没有处罚你,而只是让你赔一块橡皮。这件事情因你而起,所以你要负责。况且出于人道主义,你也应该重新买一块橡皮给桂丹霜。因为她家境贫寒,而你的爸爸却是总经理。你说对不对?"

霍风军低下头,乖乖地摸出一枚硬币放在桂丹霜的课桌上,他再聪明狡狯,也斗不过心中一直敬畏着的老师。

握着这枚一元的硬币,桂丹霜仿佛握着一枚金币。她两眼含着泪珠,熠熠发光地瞅着向嫒。向嫒在她的眼里,突然变得异常美丽起来。她今年十岁,却已没有母亲可以奉献她作女儿的赤诚,没有姐妹可以寄托她女孩子的温柔,没有任何朋友可以倾诉她委屈的感受。因为她穷、她丑、她笨,所以在所有人的眼里,她几乎不是一个人。而今天,向嫒却把她当成一个人来对待。即使向嫒在处理完这一切后,连看都不看她一眼,更没有说一句安慰体贴的话就走了,她还是对她的班主任产生了一种异样的亲切依恋感。她就像葡萄的幼苗,遇到了向媛这棵秀丽的白桦,不由自主地就攀援了上去。

向媛走在操场上,树木缀满青翠的叶片,在徐来清风的吹拂下轻摇微颤,长空寥廓,一碧万里。与这明朗的天气不同,向媛的整个心思似乎全部都凝结在了她的眉头上。她不由自主地想到了母亲的那个强人所难的电话,她的心里已经有了陈名,怎能再装下另一个男人?哪怕只是应付着去见见面,她都觉得是对他俩爱情的亵渎。可是母亲那关怎么过呢?世界上再找不到比她更顽固的老妇人了。母亲对她寸土不让,对于自己也不会有什么保留。她对女儿心直口快,胸无城府,却使得女儿始终处于被动的地位,备尝紧张应战和力不从心的苦涩。

太阳用水彩笔在操场的沙砾上画下了向媛的身影。她边走边顾影自怜起来,柔弱的向媛啊,你为什么总是忧心忡忡,为什么就连母亲也不能体谅一下自己,硬将个人的意见加在已经够不幸的女儿的身上。

不知不觉中,她走到了总机房门口。下一堂是美术课,没她的事,她有足够的时间可以找黄美娴聊聊。也许是前世的缘分,黄美娴总是让向媛有一种仿佛置身在无忧无虑之中的感觉,就像雨蛙蹲伏在一片惬意的绿叶下面肯定会产生的那种感觉。也就是这种感觉,让向媛什么事都爱跟黄美娴说。良性循环,因为向媛如此信任她,黄美娴也将向媛视为知己。

向媛推开门,看见黄美娴已经因为无聊而睡着了,她的头歪在靠背椅上,两手交叉在胸前。向媛关上门,搬了把椅子坐在她身边,微笑地看着她。即使不是美人,青春的睡脸也是美的。此时相貌平平的黄美娴看起来,十分恬静好看。

正当向媛静等她醒来时,电话铃响起了。黄美娴的身子在椅子上蹦了一下,伸手将电话接起,然后又将电话转到了对方要求转的办公室里。直到做完这一系列动作,黄美娴才睡眼惺忪地看到向媛,她的眼睛一下子睁大了:"咦,你什么时候进来的?"

"来了有一会了。"向媛替她理了理有些凌乱的头发,"奉劝你一句,上班时间睡觉有百害而无一利。一来万一校长看见要批评你,别的老师看见要打你小报告;二来每次睡得正香,突然震耳欲聋地进来一个电话,常此下去,非得生心脏病不可。"

"多谢向老师提醒,不过我还是要反驳一句,"黄美娴的语气慵懒中带些娇嗔,"一来校长是我妈妈的老朋友,她不会批评我,其他老师知道这层关系,也不会去自讨没趣;二来习惯成自然,心脏非但不会得病,反而因为常常受到锻炼,而变得更加健康。"

"真是说不过你,佩服你的好口才,你应该当老师才对。"向媛笑着说,然而她每一次微笑都泄漏出她那隐藏在背后的忧伤的心情。

"又有什么不顺心的事了?"黄美娴察言观色道。

"你怎么知道我有不顺心的事?"

"我们是老朋友了,我从你的表情上一看就看出来了。"

果然是好朋友,向媛挪动了一下屁股,椅子很硬,四下有一种置身壁橱的气味。她就在这个壁橱里,又一次将自己的秘密吐露给黄美娴听。

"我当是什么大不了的事情呢!"黄美娴不以为然道,"你既然不想太早把陈名的事情告诉你妈妈,又不想和那个在国外的男人交往,你就对你妈妈说,等你念完书拿到文凭后再说。等你拿到文凭的那一天,和陈名的事也就有结果了,要么对你妈妈说你有了陈名,要么和那男人见面交往。"

"等到拿到文凭的那一天?你开什么玩笑。那个男人要马上和我见面。"见黄美娴也没能给她出个好主意,向媛的心情就更加烦躁起来。

黄美娴细细地看她一眼:"向媛你知道吗?你这个人规矩太多,过分矜持,所以已经大大损减了你原有的自然气度。"

向媛根本就不想考虑这句话的深层含义,她不耐烦地说:"你扯到哪里去了?人家还指望着你出个好主意呢?"

"那就照毛主席的指示办,去见见面吧,敷衍敷衍就算了。你知道老人家都是很烦的。"对于向媛这种一是一,二是二的人,黄美娴的好主意也只能到此为止了。

向媛愈加忧郁起来,她真是羡慕黄美娴,就算天塌下来,她也总是那么快乐。而她,哪怕因为一点点小事情,也会跌入一种孤独无援的深渊里。

5

我的眼睛穿过那条通道/化成一条线/在明亮处消失了线头/只有一片耀眼的白光/闪闪地送进几个人来

　　我的眼睛凝聚在一个焦点上/那就是最前方的出口/不间断地有人进来/却总不是你的身影

　　我的眼睛和我的背脊直直的/光波也不能使它们动一下/直直地望向前方/那条通道/送进来的/却总也不是你的身形

　　当林娓聪写下最后一个字抬起头来时，看见陈名从商厦的大玻璃门外走了进来，嘴巴已快要咧到耳根了，一副从内到外都无限快乐的形象。

　　快乐是能感染人的，特别是感染那些心理健康的人。看见陈名那副可爱的样子，林娓聪本来还有些憋气的心马上也跳跃起来，嘴巴里虽然说着埋怨的话，语气却是娇嗔的："你又迟到了，而且比哪一次迟到的时间都要长，你看看手表，整整半个小时啦。"

　　"对不起，对不起啦。"陈名一边点头哈腰地道歉，一边拉开竹椅坐了下来，"车子堵，没办法。小姐，一杯百事可乐。"

　　林娓聪转动着手中只剩下半杯橙汁的杯子，眼睛凝望着里面艳丽的黄色:"让女士等男士是很不礼貌的,你知道吗?"

"知道知道,我一定改,省得你说我没教养。"陈名边作投降状边嬉皮笑脸地说,"其实一路上我也急得很,就想快些看到你。你刚才在写什么?"

林娓聪把纸推给他:"献丑了,一首小诗。"

陈名小心翼翼地拿起纸,好像拿一样易碎的贵重物品似的,然后放到眼睛下面,逐字逐句地默读起来。

林娓聪坐在他对面,微笑着看着他的脸庞,的确是个美男子,剑眉、又大又亮的眼睛、高挺的鼻子、丰润的嘴唇,面部轮廓柔和,胡子虽然刮得干净,也能看出是络腮胡来。真是个柔中有刚,刚中有柔的漂亮男人。惟一的缺点是孩子气太重,脸上常常挂着喜悦的笑容,这种笑容无疑会破坏他男子汉的特征,流于肤浅、市民化。

"啊,真是不好意思,原来等人的心情是这样的。"陈名放下小诗,又是一脸喜悦的笑容。

"你从来没有等过人吗? 都是别人等你?"

"好像是吧。"陈名哈哈大笑起来,这是从心坎里发出来的爽朗的笑声。

林娓聪看着他,微笑着摇摇头。

"我发誓不是故意的。"陈名举起手,像宣誓一样。

"我知道你不是故意的,这就是你的性格,你的性格中有许多缺陷,这只是其中一小点罢了。"

"啊?"陈名惊讶道。他分不清这是笑谈,是讽刺,还是真话。他试探着问:"正因为这个原因,所以你对我不是很满意,因而常常和那个大款约会是吗?"

"大款? 什么大款?"

"你不要隐瞒了,我发现多次了,开着一辆白色的'宝马'来接你下班。"

林娓聪没想到大大咧咧的陈名也有默不作声,埋藏秘密,悄悄体味痛苦的时候。陈名此时凝重的表情让林娓聪明白她其实一点都不了解他,她看到的只是他的外观,就像一只柑橘,不剥开是不知道里面究竟是金玉还是败絮的。

"那你怎么想?"

陈名低下头:"我能怎么想? 想法把你夺回来呗。"

"那你对自己战胜年轻大款有信心吗?"

陈名抬起头,定定地看着林娓聪:"有! 因为我知道,除了钱,我哪样都比他强。而你又不是个特别看中金钱的人。"

"你没有见过他,凭什么说除了钱,你样样都比他强?"林娓聪还想逗逗他,"说不定他既英俊又懂得体贴人呢?"

"如果真是那样,你现在还怎么可能和我坐在这里? 你早把我抛到爪哇国去了。"

原来陈名还是这样聪明,粗线条的性格内还深藏不露着细腻的思考。林娓聪发现自己更喜欢他了,而且已不仅仅是喜欢他的外表,她对他的感情也加深了一层。"你说得对,但漏了一点,我不仅不是特别看中钱,而且很忠贞,只要认定方向,就不会三心二意。实话告诉你吧,因为你,我已经和那个年轻大款断绝往来了。"

林娓聪说这些话的时候,神态曼妙,令人着迷。这种神态,这些话,让陈名激动得不能自已,他突然脱口而出:"我们结婚吧,我一定会对你好的,我会天天陪着你,不会让你感到寂寞。我还会烧一手好菜,每天下班,就回来烧饭给你吃,你什么也不必动手。每天在家,只要做你喜欢做的事情就可以

42

了,比方考研究生,比方去学你一直想学的钢琴。"

就算是铁石心肠的人,也会被这番真挚的话语打动,何况是尚且年轻的林娓聪。此时她双颊绯红,双眼水汪汪的,喃喃地说:"可是我们认识才三个月,正式交往也不过一个多月呀。"

"衡量爱情的标准并不是交往的时间长短,有的人经过八年的恋爱,抗日战争也不过是八年时间,但一结婚,还是发现两人志趣不相同,结果才几天的工夫就离婚了。秀兰·邓波儿和她的第二任丈夫认识才一个月,就闪电般地结婚了,结果他们美满的婚姻维系了一辈子。"陈名说着,举起杯子,"来,干杯,为我们的相亲相爱而干杯。"

两个杯子碰在了一起,两对目光合在了一块,林娓聪含羞一笑:"如此好口才,你应该当外交官才对。"

陈名将杯中可乐一饮而尽:"不是我口才好,而是我说的都是真心话。我爱你,娓聪,我希望能早一天真正拥有你。"

林娓聪本来就不是一个忸怩作态的女人,既然互相爱慕又双方都到了晚婚的界线,而且结婚后,还可以安安心心地在家读书,为什么还要拘泥常规故意拖延时间呢? 这么一想,说话的声音就少了几分娇柔,多了几分清脆:"就算我答应你了吧,你现在可以准备买房子了,如果你买的是半年后交房的期房的话,那从拿到房子到两个月的装修时间,再加两个月的油漆味散发时间,我们差不多再过一年就可以结婚了。"

"什么? 那我不就急死了?"陈名的眼睛本来就大,这会儿就瞪得跟铜铃一样了。"我要买现房,装修从速,只要一个月时间就够了,窗户天天开着,也只要一个月的油漆味散发时间就够了。这样算下来,两个月后我们就可以结婚了。"

"两个月后？老兄，那正好是六月夏天，不，都快七月了，哪有大夏天结婚的。那不是结婚，是热昏。"林娟聪忍不住哈哈大笑起来。

"那就先不买房，先和我父母住在一块，等结了婚再慢慢买房好吗？"

"这我说什么也不会答应的，我需要一个自己的空间，如果你连这点都不能满足我，还有什么资格和我谈婚论嫁？"林娟聪的笑脸陡然降了三个等级，因为她发现现在正在谈论的话题是个关键的严肃的话题。

"这么说，最早也要等到半年后才能结婚了？"

"这还不算快吗？"

"聪聪，"陈名突然擅自给林娟聪起了个昵称，"五一节放假七天，我们一起到外地旅游吧。"

"几个人？"

"几个人？当然就我们两个人了。"

林娟聪的心情不安起来，她隐隐觉得陈名要和她去外地的目的并不是为了旅游，而是为了能得到她的身体而在为自己创造条件。但与不安的心情不同，她的情绪却是渐渐地高涨起来，游山玩水是她最大的业余爱好，在那远山空谷，清风明月下，常常会让人产生醉情的脱俗感。

"行。不过我话可说在前头，要开两个房间。费用嘛，就AA制好了。"

"我不喜欢AA制，这样显得我们很疏远。我是男人，应该都由我来。"陈名坏坏地笑着说，"房间的费用嘛，也都由我来。"

林娟聪不去理会这种暧昧的笑容，不客气地道："那最好了,算你有绅士风度。你说我们到哪里去?"

"你定吧,我一切都听你的。"

林娓聪想了想,觉得祖国大好河山去哪里都好玩,她翻着眼皮看着天花板说:"九寨沟不错,风景宜人;海南岛也不赖,天涯海角有大海椰林;云南的石林听说景致如画,让人流连忘返。唉,算了,这些地方都太远了,我们还是到近一点的地方去吧。让我回去想想,过两天再告诉你。"

陈名一直微笑着看着她,觉得她的样子实在可爱,特别是想了半天也没得出个结论,就更让他想开怀大笑了。他忍住笑说:"行,你就过两天通知我吧。"他加重了"通知"这两个字的语气,以提醒她注意,他随时都是她的奴隶。

林娓聪心里很是欣喜:"你也学会咬文嚼字了?"

"'近朱者赤'嘛。每天向学者同志靠拢,这文化修养还能没进步?"

"你就会贫嘴。"林娓聪嗔怪地看他一眼,看见他面前的杯子早已空了,"再要一杯可乐吗?"

"我们还是走吧。"

"你呀,"林娓聪摇摇头,"为什么你这猴子屁股坐不住的习惯还是一点没改呢?为什么就老是不'近朱者赤'呢?早知道半个小时还不到,你就要拍拍屁股走人,还不如不约在这里的好。"

"我不是坐不住,我是嫌这里太吵,你干吗约在商厦的咖啡馆,而不是到正规的咖啡厅里去?"

"你真不识好歹,我是在替你省钱。你花钱这样大手大脚,结婚以后看你怎么养老婆和小孩。"

"结婚后我把钱都交给老婆,每个月只要领一些零花钱就够了。"说这话的时候,陈名的脸像曙光似的明媚。仿佛是一种内心的折射——只要能娶到百里挑一的林娓聪,一点身外之物算什么。

两人的眼睛开始在放电,不过浪漫还没有开始就夭折了,扫兴的手机铃声突然嘀嘀响了起来,好像是故意来破坏氛围的。陈名懊恼地朝来电显示一看,是向媛,他接也不是,不接也不是,听任铃声孤独、焦躁、痴情、执拗地一直响着。

"为什么不接? 难道是另外的女朋友打的?"林娓聪开玩笑道,她纯粹是在开玩笑,因为她太自信了,既然毫无心计的陈名和魅力无穷的林娓聪在"拍拖",他就不可能再和其他的女人有瓜葛。

陈名硬着头皮打开手机,心里一个劲地埋怨自己为什么要这样粗心,和林娓聪约会却忘了关手机。

"为什么这么长时间才接电话?"向媛在那头埋怨着。

"我在外面呢。"陈名打着哈哈说,"有事吗?"

"你今天什么时候有空? 我们见见面好吗?"

"我今天没空,再说吧,你等我的电话。"陈名不等向媛的反应,啪一下把手机给合上了。

"谁呀?"林娓聪随口问了一句。

"啊,一个朋友,闲得无聊,找我聊天呢。"

"你的朋友? 为什么不请他一起来,让我见见你的朋友。"

"要见可以,不过要等到结婚以后。不然的话,你被别人抢掉了怎么办? 我这不是搬起石头砸自己的脚吗?"陈名开着玩笑,心情却远没有外表来得轻松。一个好女孩已经答应了自己的求婚,另一个好女孩对自己的感情也一天比一天深。他不知道自己该怎样收场,在感情的天平上,他是倾向林娓聪的。然而向媛也实在是个不错的女孩子,他不知道该怎样拒绝一个人全身心的初恋。他的一颗红心,在做着两种准备。

"你既然不喜欢坐在这里,我们不妨到公园里去划船吧。"林娓聪善解人意地建议道。

"好极了。"林娓聪的提议让陈名从无谓的三角恋情中迅速走出,又回到了现实生活当中。

陈名在公园门口买门票,看见林娓聪已经先进去了。她走路的时候更显得腰肢纤细,袅袅婷婷,蓝色的纱巾在颈后不停地飘拂着,陈名看得心旌摇动。他买完门票快速追上去,一把搂住林娓聪的细腰说:"为什么走那么快? 也不等等我。"

林娓聪微笑不语,就这么被他一直搂着来到湖边,柳树向着河岸伸出它们柔和的灰色的枝条。"来,找找看,售票处在哪儿。"陈名改用牵手的方式拉着林娓聪的手,沿湖岸寻去。两岸树木葱茏,团团浓荫把水面映得碧绿。

售票处没有找到,天却渐渐阴暗下来。

"看来今晚会下雨。"林娓聪抬头看天说,"中午前后还阳光明媚呢,天说变就变了。但愿人情不要像天气这样反复无常,难以预料。"

陈名听了一惊,手也松开了她的手,他猜不透她这句话的意思,他有些怀疑林娓聪觉察到了他不忠的行为。但看看林娓聪的脸色,依然阳光明媚,他就知道自己是多虑了,她不过是个多愁善感的女孩子罢了,带一点点诗人的忧郁气质。

此时湖上看不见小船,也没有了阳光,整个湖面呈现出一种淡淡的青灰色,使湖面景色仿佛是隐在轻纱里的少女,充满神秘感,又凭添了一份妖媚的风致。

"多美。如果坐在船上,荡漾在湖中,感觉一定像神仙一样。"林娓聪陶醉地说。

"只是不要突然下起雨来才好,要不然神仙没做成,倒成两只落汤鸡了。"陈名笑着说。

"真是狗嘴里吐不出象牙来。"林娓聪狠狠地拧了一下他的胳膊,"天生就没有浪漫细胞的人。"

陈名夸张地惨叫起来,连几里外的人都能听到。叫毕,望着笑得前伏后仰的林娓聪说:"我可没说错,你看天上都起乌云了。"

林娓聪边笑边往天上看,果然,才一会儿的工夫,天空中就出现了大片大片的乌云。有一块特大的黑云沉甸甸地压覆在湖的上空,把一汪湖水压得水气迷离。

"真是奇怪。"林娓聪喃喃说着,好像隐隐有一种不祥的预感随着天气的变化而笼罩她的心头。陈名没有看出她情绪上的变化,依然兴致勃勃地说:"怎么样,租条船来划?"

"不,"林娓聪伸手拉住他,"我觉得这里阴森森的有些鬼气,我看我们还是离开这里吧,要不然怕是没有成为落汤鸡,反而成了落水鬼了。"

这回轮到陈名笑得前伏后仰了:"原来我们的大文豪还这么迷信。我可是个无神论者,你别在我面前说这些。不然,只会让我发笑。"

"无神论者?"林娓聪诡秘地一笑,"你知道西方人把无神论者和哪一类人归放在一起吗?"

陈名嘿嘿一笑:"我知道,肯定现在轮到你狗嘴里吐不出象牙来了。"

林娓聪并不理会他的话,往下说道:"是和妓女、腐化堕落分子、强盗小偷——"还没等她把社会最底层的人一一道尽,陈名已经张开双臂朝她冲了过来。林娓聪吓得大叫一声，一路欢笑着跑了开去。

他们无拘无束地跑出公园。天空黑云密布，裹着雨气的风不停地吹着街树上沾满尘埃的树梢。林娓聪突然掉转头，扑进陈名的怀里。他们在大街上忘我地拥抱着，仿佛在告诫暴风雨的前兆——任何磨难挑战，阴谋恐吓，都是把幼稚的年轻人变为成熟而智慧的勇者的最好的老师。

6

在这家浪漫的酒吧,那个男人坐在她对面,如同融化冰块那样缓缓地、逐一地谈着自己。向媛却什么也没听进去,她是迫于母亲的压力才应付着和这个四十出头的美籍华人见面的,现在她只希望时间快快地过去,好结束这场难堪的相亲。她不敢多朝他的脸看,这张脸实在是太平凡了,平凡得让人出了门就不会再记得。而且眼角有很深的鱼尾纹,即使不笑,也一直停留在那里。向媛的目光投向她斜对面的一个时髦女郎,她的丰满的乳房似乎随时都会胀破那件饰有金属片的衣裳。

"你在听我说话吗?"那个叫沈一允的男子疑惑地问视线飘忽不定的向媛。

"当然。"向媛惊醒过来,并朝他脸上深深看了一眼。

少女的视线落在沈一允的脸上,其中不含有任何感情的色彩,却使沈一允怦动不已。他感到不可思议,多年的奋斗和苦难似乎已经磨平他感情的触角。此次回国相亲,在向媛之前已经看过将近十个少女了,有好几个比她还要年轻漂亮些。但他对她们都一点感觉都没有,不知是因为没有缘分,还是因为这些少女渴望出国的目的性太强烈了,让他感到人情残酷而不敢去爱。而对面的女孩显然对出国不感兴趣,这就让他的心理在很大程度上有一种安全感。

对向媛来说,此次相亲是平淡的,平淡得就像是沈一允的脸。同时,此次相亲也是难熬的,总共两个小时,她都极力耐着性子听他毫无吸引力的话,看那毫无吸引力的脸。如果不是礼貌起见和个性使然,她会在中途退场。

"可以给我你的电话号码吗?"当分手在即时,沈一允彬彬有理地提出了完全有道理的要求,令向媛就是想拒绝,也无法抹下脸来拒绝。

"我送你回家吧。"沈一允接着又提出了第二个要求。不过这个向媛终于有勇气拒绝了:"不用了,我现在不回家,我约了同学在麦当劳吃晚饭。现在时间差不多到了,我该去了。再见。"说完,向媛快步迈入马路对过的一家麦当劳餐厅。当她买了一杯饮料坐下来时,总算松了一口气,她发现手心里已经握了一把汗了。

当一个女人在逃避一个她不喜欢的男人时,她最渴望是逃到自己喜欢的男人怀里去。向媛用投币电话给陈名打了一个电话,此时她比任何时候都渴望看到陈名,渴望着爱与被爱。

"陈名到外地去了,对,五一长假去旅游了。"那是陈名的妈妈,向媛听得出她的声音,但不知道对方是否听得出她的声音。

放下电话,向媛一时呆住,就像被离心力抛到了宇宙的终端。五一节旅游去了?和谁?为什么没有告诉她?母亲说过,男人都是花心的,他会不会是和其他的女孩子一起去的?

51

这个念头刚一闪过,向媛登时两腿发软,她几乎要倒下去了。幸亏麦当劳的玻璃墙挡了一下,她才没有当堂出丑。她两手撑着玻璃,外面,春天的晚霞凝住了似的,美得失真。向媛的眼泪终于流下来了,她坐下来,用一只手撑住前额,将痛苦的眼泪掩藏起来。

就这样静静地流了一会泪,向媛突然想到要打他的手机,看看他究竟有没有背叛她。这个念头一出现,就像快马加鞭一样,她的心刹那紧张而激动起来。

啊,手机通了。他没有关机,没有关机就证明心中没有鬼。向媛的心房突突乱跳,几秒钟,就像几个世纪一样漫长,她终于等到了那个让她朝思暮想,魂牵梦绕的声音:"喂。"

"陈名,你在哪里?"向媛的声音微弱而颤抖,然而,从其中又听得出一种穿透人心的颇为甜蜜的音响。可是那个比她年长八岁的男人却没有一丝怜香惜玉之情,硬邦邦地回答道:"我和同事在杭州游西湖呢。回来后再跟你通电话。好了,再见。"

见陈名要收线,向媛急得叫起来:"喂喂喂,你什么时候回来? 我到车站去接你。"

"不用了,说不准时间。回来再说,BYEBYE。"他一点也没有给向媛回旋的余地,迅速挂了电话。

向媛呆呆地放下电话。透过玻璃墙,看见外面已是暮色渐深,四下苍然。他说和同事在一起,是真的吗? 为什么急着挂电话,难道这个同事是女的? 为什么事先不通知她,事后又不解释道歉? 他不在乎她,不爱她? 不会的,从他的眼神里可以清楚地看出,他是很爱她的。他会瞒着她和另外的女孩子约会? 不会的,心地纯正的陈名是不会做这种事情的。

当向媛从沉思中醒来时，虚脱感如水一般无声无息地浸满了整个麦当劳餐厅。孤独、寂寞、猜测、思念、难受，百种伤感，涌上心头。她发现她已彻底爱上陈名了，不然不会无缘由地这样痛苦。平时最喜欢的环境此时因为心情的改变而显得丑陋，灯火通明和众多的食客似乎在嘲笑她的孤身一人；空气也不纯净，肉味儿就像一张湿腻腻的网笼罩在四周。她这才明白"身居人中，却觉孤单"的凄凉，最终，她承受不了孤身独处的重负，连主食都没有吃一口就逃离了麦当劳快餐厅。

连她自己也不知道是怎么恍恍惚惚回到家的，一进门，妈妈就问："那男的怎么样？"

"男的？"向媛头脑里第一个反应的就是陈名，"不知道。"

"怎么会不知道，沈一允好不好呢？"

向媛这才想起沈一允来，的确是个让人出门就忘的人。向媛喝了一口桌上杯中的凉水："我没看上他。"

"为什么？是嫌他太老？大点才知道体贴老婆嘛；还是嫌他太世故？不对呀，你阿姨说他很老实的；那是嫌他长相不好？男人不要太好看，好看的男人靠不住，就像你爸爸那样。"向妈妈带着劳动妇女的那股爽利劲一句紧接着一句。

"行了。"向媛不耐烦地断喝一声，"反正我讨厌这个人，而且我也不喜欢出国，既然不喜欢出国，找这种人有什么意思。"

向妈妈还有些想不通地在嘟囔，但到最后，这些嘟囔就成了哼哼，后来就鸦雀无声了。因为她发现女儿已经不屑与她争论了，向媛一直都默不作声，让她这个做母亲的反而心生惭愧起来。

见母亲已经偃旗息鼓，向媛松了一口气。凡是以沉默进行抗争的人也许都会发现，沉默是比言语更有效的手段。

吃了一点剩饭,向媛身心的几乎所有部分都渴望入睡。她像母亲那样早早就上了床,然而惟独脑袋的一小部分僵固不化,执著地拒绝睡眠。

夜风从开启一条缝的窗户里吹进来,春天的风都是甜的,难怪历代文人总爱把春天和情爱联系在一起,他们的感官真是锐敏到了极点,连猫叫都被称为叫春。唉,如此心旷神怡的春夜,居然没有幽会的对象。

向媛彻底睡不着了,她爬起来,扒在窗口看外面。她视力所及的地方是她从小长大的地方,也是一片即将拆迁的房屋。从窗口看出去,一条石子小路及两旁低矮破旧的私宅在明朗的月光下,显得异常空旷寂寞。春天到了,人心也显得恬静,于是即使是悲哀,也来得静悄和平稳。她和陈名在多少个这样的夜晚幽会,她的陈名无论衣着怎样随意,都罩不住他自然散发的光芒,眼神尖锐,几乎令人不敢正视。一想到陈名,她再也不能安静下来了,她太爱陈名了。但是最近陈名好像对她越来越冷淡,是不是觉得她太被动?但她是个女孩子,又怎好主动?何况在她成长的过程中,欲望被视为罪恶,压到最低点。她本身就是没有多少欲望的,又怎能勉为其难地与男友肌肤相亲?然而她对陈名的感情是真心实意的,是货真价实的。她突然有一种要打电话给陈名的欲望,她想对他说些甜言蜜语,虽然对此她并不在行,但对所爱的人,她不想再吝啬这些言辞了。现在是夜晚十点,她鼓足勇气拨打了陈名的手机。她知道这时候陈名还没有睡,他总要到午夜后才入睡,所以在十二点之前,他是不会关机的。但是这次她错了,手机里的语音提示清晰地一遍遍不厌其烦地在响:您拨打的用户已关机。您拨打的用户已关机。您拨打的用户已关机——

一时之间,向嫒又痴痴傻傻起来,各种内心的抑郁开始对她起作用,她的神经抽搐起来,一只手腕上的动脉也突突地直跳。关机了,为什么?和其他女人在一起?男人都是和爸爸一样的?啊!不不不!!!向嫒疯狂地摇着头,一边竭力地在心里自我安慰:不会的,陈名不是这样的人。既然小说中有天长地久的爱情,有至死不渝的情人,那生活中就一定存在着和小说中一样多的这样的人和事。啊,我怎么可以这样不信任陈名呢?这简直就是对他的亵渎,对我俩爱情的辱没。他不过是大大咧咧些,不拘小节些罢了。我怎么就像小心眼的林黛玉总是毫无根据地猜测无辜的贾宝玉的心呢?这最后的想法像一只熨斗,轻轻熨平了向嫒的结了许多皱纹的灵魂。

　　也该睡了,明天还要上课呢。到处都是竞争,连这种以往一直被认为是铁饭碗的工作都在竞争的浪潮中岌岌可危。要么上,要么下,都是残酷的。难怪母亲会鼓励她嫁个年长可靠的男人,然后出国,其实这种做法是在为女儿着想,她不希望女儿像自己一样辛苦。可怜天下父母心,她却误解了她。

　　向嫒轻轻而又深深地打了一个哈欠,她渐渐找到了一点睡意的影子。

　　她梦见了家附近的那个池塘,一弯酪黄色的美月高悬在池塘上面,有一颗小星星在旁边紧紧尾随着。大地醒来的时候,吹起了一阵柔风,水中的月影便摇晃起来,拉得长长的,但没有破碎,小星星的倒影也变成了一条磷光带,在水面上闪耀着。

7

　　落日的光辉,斜射水面,深蓝色的桥影,在金波间不断地摇动。陈名和林娓聪站在西湖的断桥上,嬉笑玩耍。他们的笑声像一颗颗鹅卵石投到沉静的水面上,说不出的明亮、清晰。

　　"西湖太美了,要是能在这里住下就好了。"林娓聪眼前脑后满是自然美景,这对于久居人多车多高楼多废气多的大都市的林娓聪来说,无异于是一次全身心的洗练。

　　"只要你喜欢,我以后会在这里给你买一栋别墅的,你什么时候想来就可以什么时候来。"

　　"说大话也不托托下巴。"林娓聪虽然这么说,但眼睛里已有八分喜色了。

　　"我说的是真的。只要你肯嫁给我,我会为你而努力去赚钱的。区区一栋别墅算什么。"陈名握紧她的手,极认真地说。

　　旅途的劳累使林娓聪有些困倦,但是陈名这句话不管是真是假,都让她高兴激动,所以显得春色满面,分外娇羞。

　　林娓聪的样子激起了陈名无限的爱恋,他搂过她的腰肢,正要亲吻,手机不合时宜地响起来了。陈名瞄了一眼显示屏,原来是向媛。林娓聪在身边，陈名自然不能和向媛温言款语，他一本正经、三言两语打发走了她，就将手机给关了。

林娓聪丝毫没有起疑心，她习惯性地问了一句："谁打来的？为什么关机？"

"是你眼中的狐朋狗友。"一个人因为某事而撒谎，开始时是内疚，到后来就成了一种乐趣，陈名笑盈盈地说，"不要让这些俗人来打搅我们的清净世界。"

林娓聪听了甚感欣慰，大大咧咧的陈名现在也越来越细腻了，难道这就是爱情的功劳吗？她把深情的目光从陈名身上移开，投向湖面："陈名，你看多美啊。古人形容的'余霞散成绮，澄江静如练。'用在这里真是太恰当了。"

每当林娓聪表现出他所不具备的文学素养来，陈名总是觉得她特别美丽高贵，他伸手搂定她的肩头说："你如同一块未琢的玉，未炼的金，人人都钦佩它的珍贵，却没人知道如何评估你的价值。"

林娓聪惊喜更甚，没想到粗枝大叶的陈名竟然能说出这番贴切、深奥、动听的话来。悲剧传说中的断桥在热恋中的人眼里往往都不是悲剧，它是一种青春，一种狂想，一种享受，一种诱惑。它是上帝的黄昏，也是魔鬼的桥畔，这黄昏的西湖，这西湖上的断桥，竟美丽得呻吟起来。

他们忘情地拥吻起来，不顾一切，忘了时间，忘了世界。

苍茫的暮色犹如被一把透明的刷子一遍遍地越涂色调越浓，最后变成了黑幕。

周遭的一切又回进了头脑里，陈名说："玩了一天了，我们去宾馆登记住宿吧。"

林娓聪欣然点头同意，此时她已没了主心骨，一切听凭陈名的摆布,以至于当她看见陈名只开了一间房间时,都没有加以制止。

在这间只有他们两人的标准房里,陈名满脸透出兴奋,无法压住心头的欢喜。林娓聪晶莹的、一点尘垢也没有的眸子,也变成朦胧的、在暗示着一些什么似的。

一切似乎都进行得顺理成章,热烘烘的爱情,让他们躺到了热烘烘的被子里。陈名终于赢得了林娓聪的全部,林娓聪也终于让自己彻底心有所属。

他们没有开灯,从没有拉窗帘的窗口可以看见天空。这一夜月亮很暗,星星占满了漆黑的天空。林娓聪躺在被子里叹息了一下,她的身体仿佛悠然飘到了银河中去,银河无底的深邃,把她的视线牢牢地吸引进去了。

陈名刚刚还坠入这春雪初崩般势不可挡的恋情,尚未完全苏醒过来,乍听见这声叹息,他的心紧张起来了:"亲爱的,你后悔了?"

林娓聪的目光依旧留在银河里,因此她的声音也听上去十分虚幻:"我答应了你的求婚,今夜又和你同睡在一张床上。和男人过夜,是我以前从来没有干过的事情。但我不后悔,我这样做,是希望能和你'执子之手,与子偕老'。你不会辜负我吧?"

陈名这才松了一口长气:"怎么会呢? 我一直都认为自己配不上你,即使我现在拥有了你,心里依然没有底。你不会红杏出墙吧?"

林娓聪掉过头来,紧紧抱住陈名温暖的身体:"可是为什么在这种幸福的时刻,我却有一种太阳下山时最后的回光般的感觉,特别华丽、鲜艳,但是就要沉落、消失。"

"快别说这些不吉利的话了，无论遇到什么情况，我都会对你好的。只要你不变心，我愿意做你终身的奴隶。"

林娓聪感动得眼泪在眼圈里转。看见白天鹅一样的林娓聪为他而落泪，陈名的眼睛同样也变得潮呼呼的。

他们躺在被窝里，彼此不说话也不亲昵，相互无语间，两个温热的身子不时接触着，他们感到无限快慰。

陈名透过窗口，望见天空中弥散着突然穿出乌云光辉灿烂的月亮的缕缕清辉。他的心又激动起来，月亮般的女人，此时就躺在他的身旁，触手可及，他该怎样好好占有这来之不易的时刻啊。

在陈名近似疯狂的占有下，林娓聪感到自身像波涛起伏的大海中的一个软木塞似的被颠上颠下。她头晕，激动不安使她的手心都出汗了，浑身都在微微地颤抖。最后，高潮用它的利齿紧紧地咬住了她。

陈名像退潮的大海一样渐渐平息下来，他似乎很满意林娓聪的自然表现。第一次他太慌忙她也太干涩了，就像一道匆匆的快餐，体味不到佳肴的美味。而这一次，他激动而沉着，她则投入而丢掉忐忑心理，他们配合得天衣无缝。肉欲虽然不能成为婚姻的主食，但它也占据了重要的一席之地。这也就是为什么那么多人要试婚的缘故吧，有了良好的性生活作垫底，性格上的差异自然可以弥补了。在男女问题上，女人看重的是感情，而男人看重的却是肉体接触。

他们睁着雪亮的眼睛在黑暗中相互注视。"我爱你。"他们同时说。

他们的嘴唇像火花一样地接触了，胶合着，两个赤裸的身子紧紧抱着，战栗在无言的黑暗里。若不是说好明天要一早起来看日出,陈名几乎想再做一次爱了。

他们入睡时是午夜时分,也许是因为太兴奋,也许是因为彼此心中有个默契的缘故,这一对平时最爱睡懒觉的家伙在黎明还没有到来时就双双醒了。

"早安。"陈名在林娓聪的唇上印了一个吻说。

林娓聪深情一笑:"这么早就醒了?"

"我答应过你,要一起看日出的。"

林娓聪闭起眼睛,回忆着昨晚发生的一切……好一个疯狂之夜,陈名火热的激情,好像要把她烧毁一样。她的心头不由涌起一缕缱绻的柔情,一丝回味的颤栗。

"还睡呢?"陈名问着,手指轻轻划着林娓聪裸露的肌肤。林娓聪的身体做出敏感的反应,浑身略略颤抖,犹如蜡烛的火苗随着皮肤感觉不到的细弱气流微微摇曳。

"起床吧,别错过了看日出。"林娓聪克制住又一次的生理反应,睁开眼睛说。

当他们拉开巨幅窗帘时,一轮红日正从东方冉冉升起,凌空在西湖之上。罕见、艳丽、脱俗。它射下一片粉红色的光在丝一样光滑的、带铅色的、宽阔的水面上。

"啊,太美了。"他们同时呼喊起来,忘情在这最美的自然景色中。就连猴子屁股坐不住的陈名也一改往常,静静地拥着心爱的女人,一直看到火红的太阳放射出万道霞光,然后变成金黄色,令眼不能再直视为止。

"我晚上睡觉打鼾吗?"陈名突然在这个浪漫时分提出了一个十分不浪漫的问题。

这就是陈名。林娓聪笑了:"虽然算不上是在打鼾,但呼吸声也够深沉的。"

60

"会影响你睡眠吗？"

"不会。为什么问这个？"

"我担心要是因为影响了你的睡眠质量，而使得你不嫁我了怎么办？"

见他说这句好笑的话时，表情竟然是这样一本正经，林娓聪的大笑像从嘴里喷出来似的："你怎么永远像个孩子？难怪我在一本书上看见，男人不到四十岁就不会长大。这句话在你身上是最好的体现。"

陈名难为情地在浓密的头发上搔了搔："你会嫌弃我太幼稚吗？"

"这何尝不是一种优点呢？"

"优点，优点。"陈名若有所思地把这两个字放在齿缝中间摩擦着，好像这两个字是汉语言文学中最深奥的两个字眼。

"好了，别发呆了。我们喝两杯咖啡提提神吧，一会儿还要出去游山玩水呢。"林娓聪说着，手脚麻利地冲好了两杯速溶咖啡。

陈名将客房中那个圆圆的桌子搬到窗边。这样就可以在阳光里喝着咖啡了。

林娓聪用赞赏的眼光看着他这一举动，有时粗人比平常人更要细心，更知道投人所好。他会成为一个好丈夫吗？结婚后有了良好的环境，我真的可以完成心愿，读完研究生吗？待会先上哪里去玩才好？不知道听见我要辞职，乔先生会是一种怎样的表情。林娓聪一边喝咖啡，一边不着边际地浮想联翩。

陈名一直目不转睛地凝视着她，突然冒出一句："打断一下你的思路，你在思考什么国家大事，这样专注？"

"啊,不,"林娓聪开怀一笑,"我只是在想待会先上哪儿好。"

"就这个问题还值得你如此费神?你的脑细胞也太不值钱了吧?"

"啊,你这人说话真气人。"林娓聪嘴上这样说,脸上却又露出了灿烂的笑容。

陈名怔怔地凝望着林娓聪脸上的笑容说:"若把西湖比西子,淡妆浓抹总相宜。"

"原来我们的文盲也会背古诗啊。"陈名是学理工科的,林娓聪因为他对文学是门外汉,所以常常称他为文盲。陈名也喜欢她这样称呼他,觉得这是一种昵称。

"我们继续去游西湖吧,还有好多景点昨天没有去到呢。你会发现你的文盲更有诗意了。"陈名说着,将林娓聪拉起来,在她香喷喷的脸颊上响亮地亲了一下。

他们漫步在苏堤上,林娓聪看见一路上都是掩映着湖水的柳树,垂条千支迎风飘荡,柳叶万片在春光里散发着芬芳。天地间的春色,似乎都集中在这些柳树的枝头,让人心旷神怡。他们挽着手,进入"花港观鱼",看那一尾尾五颜六色的金鱼在水中悠游,一时竟看得忘我,仿佛自身也成了小鱼儿。而"柳浪闻莺"这个景点的名称听起来就更富诗情画意,当然逃不脱林娓聪的选择了。他们携手漫步入林,走在绿阴中,只见枝影纷披,苔藓遍地。而远处似乎有谁在摇着风铃,远处风铃低吟浅唱,近地鸟声啁啾。林娓聪完全沉迷在这种意境里,觉得这里仿佛是个独立存在的世界,一个漂浮于虚构时空之间的世界。

陈名也一直都没有用他的大嗓门来打破这份幽静,在他的眼里,这里也的确是个令人神往的地方。氤氲的云霭在空中泛着粉红色的颜色,就好像入浴后处女的肌肤。

"太美了,如果能长住在这种地方该有多好,每天在这种地方看书,书也会是清香的吗?"林娓聪紧紧地握着陈名的手说,仿佛要把这些话揉进他的肌体深处。

"骨头都给你捏碎了。"陈名恢复了他的大嗓门,"在都市人看来,这种地方只是偶尔换换心情的地方,纯粹的游玩场所而已。不要说长住了,就是呆上一个月,只怕也会无聊得发狂了。"

"你真俗气。"林娓聪不满地推他一把。

"既然已经给你说了,不如我们去办一件更俗气的事情吧。"陈名笑着说,"你猜猜是干什么?"

"吃饭!"林娓聪没好气地说。

陈名一拍手:"真是英雄所见略同,不是一家人不进一家门,原来你想的和我一样。"

"谁和你一样了,我是'生陈名者父母,知陈名者林娓聪也'。像你这种馋佬,除了惦记着吃,还能惦记着什么?"

"当然还惦记着你了。"陈名搂住林娓聪的肩膀,"今天我们到'楼外楼'去吃顿好的。我要让你在这几天值得纪念的日子里,每一分钟都没有白度。"

陈名虽然有时候会表现得傻乎乎的,但关键时刻总不会忘记给人来上一勺蜜,而最爱吃蜜的,莫过于未婚女子了。

离开幽静的"柳浪闻莺","楼外楼"是另一番天地,宾客往来,杂沓热闹。陈名和林娓聪啃着"叫花鸡",尝着"西湖醋鱼",喝着"西湖莼菜场",大快朵颐中,林娓聪对陈名产生了已经是自己人的亲切感。

"来,干杯。"陈名举起酒杯,"祝你越来越美丽,祝我们的爱情天长地久。"

在碰杯时,林娓聪的手指擦着陈名的手指,这一接触促使她那迷蒙的眼神立即前去追寻燃烧在爱人眼睛中的火焰。她觉得她已经获得了他全部的爱情。

吃过午饭,他们去游玩了岳坟,接着又去"天外天"吃晚饭。吃过晚饭,他们让"南屏晚钟"悠扬深远的钟声洗涤了胸中的杂念,然后进入"三潭印月"。

一平如镜的湖面上,三个仿月和一个天上的真月的倒影相映成趣,夜色、月亮、泛舟、情人,南风拂面。林娓聪陶醉了,她觉得这恐怕是她一生中最美妙的时刻了,因为她想不出今后的日子还会有比这个时刻更让人陶醉、流连忘返、心无杂念了。在这西湖温柔清新的气氛里,在这水天交接的宁静的境界里,林娓聪想到了反差极大的都市白领生活,上班、竞争、烦琐、压力、人事关系。她就更珍惜今晚了。

"你在想什么?"陈名轻轻地搂住她,低声问道。

林娓聪轻柔地靠在他身上,梦幻一样地说道:"我在呼吸晚上的空气,倾听青蛙的叫声,欣赏在水面上抖动的月光。没有一样东西不反映出我的幸福,我第一次发现,自然界是这样光华灿烂,它受着爱情的照耀,被你点缀得更美了。"

天那么黑,林娓聪感到自己在黑暗中熠熠闪光。

8

向媛站在学校门口向陈名挥手道别,同时还用一只手按着她的头发,以免被风吹乱,正是这个姿势令他对她感到敬重。

　　陈名这还是认识向媛快一年来第一次送她去学校授课,认识快一年来他从来没对她真正好过一次,今天他想第一次也是最后一次对向媛好一些,然后对她说分手,因为下个月他就要和林娓聪结婚了。金秋十月的日子将让他结束单身汉的生活,成为一家之主。可一看到向媛,准备好的话就都倒了回去。她是那样纯洁可爱,又是那样死心塌地地爱着他。特别是看到爱睡懒觉的陈名一大早就在车站等她,准备送她去上班时,她激动得都流眼泪了。这一定是个百分之百的贤妻良母。男人娶到这样的老婆真是前世修来的。陈名多么希望历史可以倒转,回到一夫多妻制去,那他将不必再痛苦地做着抉择。可现实生活还是现实生活,他必须选择。四个月前和林娓聪到杭州游玩,并且互相献了身,有了这种肉体的关系,他们的感情飞速地好了起来,就算感情没有加深,为了负责,他还是必须要娶她为妻的。况且她漂亮有才华,也是不可多得的女子。只要是男人，都不会主动放弃这样的女孩子的。

对面街心花园里种着一片闹哄哄的鲜花，可为什么看上去有说不出的寂寞，难道它们也要结婚，也将失去自由吗？盼望已久的婚礼一旦来到，陈名却对它产生了恐慌。他几乎想逃避了，再晚些时候好不好？让我再享受一下单身的乐趣，无忧无虑，不必担负起家庭的重责，被女孩子们爱，也爱着女孩子们。

一阵风刮过，带着一股清香的味道。陈名深深吸了一口气，今天又是个金风送爽的好天气。大好时光，为什么要自寻烦恼呢？车到山前必有路，船到桥头自会直。就这样走一步算一步吧，只要开心就好。

迎面走来一个陌生的姑娘，她的身材苗条而修长，好像是训练有素的舞蹈演员，每一个姿态全表现出一种温柔，一种甜蜜，一种协调，充满了音乐的旋律与节奏感。陈名直看得咋舌，垂涎的目光在脖子的协助下一直将那姑娘的身影送得无影无踪。真是"十步之内，必有芳草"，我却要在一棵树上吊死了。难怪母亲让我不要草率结婚，要精选一下。我却像着了魔一样非要迅速与林娓聪结合，一旦事情敲定，才发现单身的生活是多么难得而又美好，周围的姑娘也都是这样难得而美好。如果时光可以倒流，我不会急匆匆地向林娓聪求婚。此时此刻，陈名的心中充满了懊悔，他全然没有想到若是不早早明确自己的态度，只要是好姑娘，都会像鸟一样飞走的。

进了大楼的电梯，陈名看见正面对着他的一个姑娘的眼睛十分美丽，他目不转睛地看着这双炯炯有神的眼睛，这双迷人的眸子，从中心点向四周发出极为对称的光芒，面对她的目光，不禁令人想起星座。当陈名走出电梯时，那姑娘还在继续上升。不知这是哪家公司的白领,怎么以前没有看到过? 是新来的还是以前没有注意到?

陈名带着疑问和惋惜的心情来到办公室,林娓聪迎了上来,非常小声地说:"我打算今天就辞职,你看好吗?"

陈名想入非非的灵魂又回到现实中来,别的好姑娘都不属于他,只有这个是千真万确的:

"你早该辞职了,结婚前的许多准备工作都还没有做好呢。"

林娓聪颔首一笑:"我这就去对乔先生说。"

"你别越级了,你现在可不是秘书,而是企划部职员,应该先跟部门经理说。"陈名提醒道。

"可我是乔先生招进来的,何况我和企划经理合不来。我还是先和乔先生说的好。"林娓聪说完,不再听陈名的意见,径直走进了总经理办公室。

她总是这样自作主张,这是一个以自我为中心的女人。陈名第一次对林娓聪产生了不满。

看见林娓聪敲门进来,亮晶晶的眼睛闪烁着微笑,宛若一朵永开不败的不可采摘的长春花。乔先生明显表现出一喜,嘴上却要问:"你怎么来了?"

"乔先生就这样不想看见我? 那好,我就辞职。"林娓聪很高兴这句难以启口的话可以顺着他的话头自然流出。说完,她将辞职报告交到乔先生手中。

乔先生开始还以为她在开玩笑,待看到辞职报告后才知道这不是玩笑,他的心咯噔一下:"你的辞职报告没有写清楚,你究竟为什么要走? 是不是找到更适合你的工作了?"

"不是,我下个月就要结婚了,结婚后我想去念研究生,暂时不工作了。等多学一点知识,再重新踏上社会。"

乔先生心头涌上一股莫明的失落,他有一种要阻止这段婚姻的冲动,但说出的话却是:"恭喜你,林娓聪。"嘴上说的和心里想的永远汇不到一起,还有什么比这更痛苦的?他停顿一下,补充道:"你的想法和追求也和别的女孩子不一样,我挺佩服你的。"

林娓聪嫣然一笑:"乔先生太夸奖了。我打算马上就走,反正企划部也不缺人手。"

"别那么急,谈谈好吗?"乔先生终于说出了心中想说的话,他感到一种战胜自己的喜悦。

"谈? 谈什么?"林娓聪明知乔先生的心思,却故作不解地问。

"我们出去找个地方谈吧。"乔先生突然用一种无比温柔而又激情迸发的目光看着她说。

林娓聪的心一阵狂跳,与此相反的是她冷淡的表情和冰凉的话语:"不用了吧? 被同事看见不好,以为我和你有什么事呢。有什么话,你就这里说吧。"

淡漠又回到了乔先生的脸上,他下决心永远也不再去搅乱这个女人平稳的生活。这是个正经的女人,把心里的话说出来,不过是徒增笑料罢了。

"未婚夫是谁?"

林娓聪突然后悔刚才用这种生硬的态度对他,乔先生是不同于一般的惯于寻芳猎艳的老板,他其实是个很有特色的男人,如果他说出爱她的话,也不会是要玩弄她的。看此时此刻对面的那张中年的脸,实在没有邪恶的样子,因为听见暗恋的女人要结婚的消息,而变得悲苦,变得恍恍惚惚,全然没了老板的风度,好似一个没有办法控制自己命运的人,一生里遭遇的都是人世的失意和难堪。

"一个普通人,当然没法和乔先生比了,乔太太的福分是前世修来的。"林娓聪巧妙地回答道,她觉得只有说出这些肉麻的恭维话来,才能弥补刚才的冒失给乔先生带来的难堪。

乔先生却并没有因为这句吹捧的话而变得轻飘飘的,他的心依然因为林娓聪的即将离去而沉甸甸的。

"普通人?任何人都是普通人。他在哪里高就?"

他就在你的手下高就。林娓聪心里道。

"外企。"

冠冕堂皇的话都说尽了,乔先生心里想仔仔细细地看她一眼,把他的心里对她的爱恋都告诉她,然而他的眼睛怎么也不敢平视她一眼,他的舌根怎么也不能摇动一下。他不过同哑巴一样,偷看着她那搁在膝上的一双纤嫩的白手。

"乔先生要是没有其他的话,我就去财务科结账了。"

乔先生的面部神经随着吃惊的眼神的一闪,抽动了一下,但在一秒钟的时间里又恢复了平静,他微笑着点了点头。

林娓聪走了,乔先生好一阵子两眼黯然无神,视线飘忽不定。好像丢失了一件珍宝一样,虽说这件珍宝从来就没有属于过他,但从此以后连看一看的可能性都没了,这比失去了一项大买卖更要令人沮丧。早知黄鹤迟早要飞去,还不如当初试着与她建立一种更为亲密的关系,说不定也未必会把人给吓跑。想到这里,乔先生的心由痛苦转为深深的后悔。其实他早已明显地看出来,这个女孩对他确实有好感,他只要好好利用这种好感,细水常流,听其自然发展,说不定他是可赢得她的全部感情的。

深深的后悔又引发了痛苦，虽然自己明令公司里一律不准吸烟，自己却一支接一支地吸了起来。换气不良的房间里，活像天气预报的气象图一般云遮雾绕，迷蒙一团。在这团迷雾里，乔先生仿佛回到了台湾老家，不是台北市的那个家，而是小时候与祖父母一起居住的大山脚下的那个家。也是这样的晚秋季节，满山枫叶如火，伯劳婉转的歌声不时从树林深处传来，秋阳下寂静的人间景色别有一番城镇里享受不到的乐趣。

烟头烧着了手，乔先生从梦境中醒来。他不明白为什么林娓聪能让他想起童年，也许在他的潜意识里，他一直认为这个女孩具有像山涧的清泉一样透明的品质吧。

当林娓聪办妥手续，来向乔先生道别时，看见这个景象，着实吃了一惊。她匆匆说了声再见，就离开了总经理办公室。她尽快地走着，差点儿没跑起来，她怕如果她走慢了，就可能会放弃原来的主意，就会重新给乔先生机会，让他继续狩猎她的友谊，像对付小鹿小兔似地追逐她，俘虏她，让她做出对不起陈名的事情来。

一个坚强的意愿正在努力挣扎，要战胜一种顽强的抗拒心情。终于，她成功了，她抛却一切私心杂念，像一个真正的待嫁的女人一样，脑子里装满的只有对婚礼的渴望和对婚姻的美好憧憬。

她第一次有心情发现，办公楼之外的天空是这样美好，天气多么晴朗，眼前的一切都呈着明亮和活跃的气象。玻璃橱窗上闪耀着各方面投射来的晶莹的光，远处摩天大楼的屋顶上金碧辉煌。环顾四周，人流滚滚，裙裾飘飘。低下头来，地上阳光斑斓，树影婆娑。美、活泼、充满生气，这就是林娓聪眼睛里的世界，这世界荡涤了她的心胸。从这一刻起她自由了，她可以无拘无束地徜徉在知识的殿堂里，做自己喜欢做的事情。而这一切都是陈名带给她的，她感谢她的未婚夫。

9

　　高架公路上,不时有载着极重货物的长途卡车发出类似冰山开始崩裂般的吼声疾驰而过。而林娓聪的新房的南窗正对着高架道路,当时为了贪图便宜而买下这里的房子,直至住进去,才觉得苦不堪言。正应了一句话——家无宁日。重新换上隔音玻璃窗以后才算解决了这一难题,但轻易也不敢开窗,一开窗,这种可怕的、攒人神经的声音就扑面而来。

　　"我们不能像以前那样大手大脚地花钱了,各方面都要节俭一些,希望可以早些换好一点的房子。"林娓聪常常在陈名耳边这样说,每次陈名都心不在焉地点着头,真让人怀疑他有没有听进去。她的这些中肯的话并不能让陈名感受到什么共鸣,言者虽谆谆,听者却藐藐。每当这时,林娓聪都特别失望,她的陈名自从结婚以后就再也不像以前那样在乎她了,而且常常借故晚回家。林娓聪想不通这究竟是为什么,难道自己的魅力随着结婚,随着柴米油盐的介入而消失了吗? 想到这里,她的心好像涂了墨污一样阴暗了下来,难道他们的婚姻竟然是没有多大的感情基础的? 难道自己的魅力竟然是一层虚表,一经揭开,就一文不值? 她开始刻意打扮起自己来,但是没有用,一切都还是老样子,他依然心不在焉,依然常常借故晚回家。

只有等到结婚,才发现未娶的那个姑娘才是最爱。

向媛穿着米色的瀑布飞流似的粗细条纹相间的缀着金线的长袖连衫裙,外披一件轻微染着嫩草萌芽似的浅湖色的短外套,站在西边泛着一抹金黄色的晚霞下面,静候着心爱的男友。在越走越近的陈名眼里,她就像一个女神,美不胜收。他的心激动起来,脚步加快,心跳加速。

她的黑眼睛在看他……他们视线互相作一个亲爱的招呼。

"走,他们已经在饭店等着了。"陈名搂住她的肩头说。结婚前从来没有把向媛介绍给他的朋友们,结婚后倒像要卖弄宝物似的显示一下了。

向媛觉得陈名丰富了她枯燥的生活,他用他的坚硬来磨砺她的软弱。因此,和他在一起时,或者想到他时,她的脸上除了笑容还是笑容。

夕阳西下,去饭店的道路突然阴冷起来。不过他们谁也没有发觉,因为在他们的胸中,正燃烧着一团火。

一群围坐在饭桌上的三十岁上下的、三教九流都有的男人们,看见陈名和向媛走进来,齐声欢呼起来:"陈名,你说要带个朋友来,原来是一个漂亮的小姐啊。"

听到这句话,陈名露出了得意的笑容,而向媛则羞涩地垂下了头。

陈名拉着向媛坐下,冲他们挤了挤眼睛:"朋友,帮帮忙,千万别出我的丑。"

"缺德。"有一个人摇了摇头,但大多数人还是把他当成情圣,流露出煞是羡慕的神情。

"小姐,喝酒吗?"一个人拿起酒瓶,作势要给向媛倒酒。

向媛赶紧用手掌盖住杯口:"不不不,我不会喝酒,一点都不行。我要一杯雪碧吧。"

"好啊,百分之百的纯情少女啊。"倒酒的那个朝陈名眨了眨眼睛,"不喝酒不喝可乐,单单喝雪碧。陈名,有你的。"

陈名乐呵呵地傻笑起来。向媛羞涩地低下了头,她双手捧着盛满雪碧的玻璃杯,转动了一下,甜丝丝地呷了一口。

在吃饭的过程中,向媛发现,陈名的这些朋友都喜欢开玩笑。他们开着促狭的玩笑,向媛有些不习惯,但心里又感到十分甜蜜。在吃饭的过程中,她的身体在不断向陈名依偎,仿佛是一只依人的小鸟一样在找寻归处。她猜想大概离陈名向她求婚的日子已经不远了,一想到就要成为人妻了,而且是陈名的妻子,她的面孔绯红,心儿猛跳起来。

酒过三巡,一个长着鹰勾鼻子的人突然叫喊起来:"陈名你这么晚还不回家,不怕老婆要你跪洗衣板?哪有才刚结婚就把老婆挂起来的道理。我新婚时,天天和老婆搞在一起。"

一时间,群座鸦雀无声,场面十分难堪,而陈名的表情就更是尴尬。如果不是这种过分奇怪的反应,向媛还以为这又是玩笑,但他们的神情和自己心中的预感告诉她,那个鹰勾鼻子说的是真的,她最爱的、最信任的陈名是个有妇之夫,他骗了她最真挚的处女的感情。愤怒和被侮辱了的感情奔涌在她的心中,同时脸色也一下子变得煞白。

"他喝醉了,说醉话呢。"几个反应快的狐朋狗友看见向媛白得像死人一样的脸和聚满眼眶的眼泪,知道闯了大祸,赶忙出来打圆场。

"就是。他一喝就醉,你可别信他的。"陈名也摆脱了尴尬的情绪,为自己编织着谎言。

向媛的脑子轰轰乱响,她觉得这里每个人的脸上都焕发着光彩,好像大伙都在怀着某种心照不宣的微妙的喜悦共同进行着什么密谋策划似的。她摇晃着起身道:"对不起,我有些不舒服,先回去了。各位慢用。"

向媛趔趄着奔出饭店,街上的冷风让她发热的头脑总算冷静了不少。她回忆起刚才的场景来,陈名的话被掩饰得很巧妙,但声调中仍流露出不安。这种不安强烈地震撼着向媛的心,难道她全心全意对待着的初恋情人竟然是个超级大骗子?

她向前一跌,险些摔倒,被紧追上来的陈名扶住了。以前陈名的双手总让她感到甜蜜和温暖,但现在这双手却让她感到肮脏、恐惧、厌恶和伤感。她甩开这双手,就像甩开两条臭带鱼一样。一想到他的爱不仅仅是给了另外一个女人(更可怕的是他还娶了这个女人,并且瞒着她),恐怖就像是条小蛇频繁地在心里猛烈地钻动。

"你相信他们说的玩笑话? 难道我们之间的爱情就敌不过一个毫不相干的外人的一句戏言?"陈名振振有辞地说着,重新将手放到她的肩上。

听了这话,向媛浑身一震,啜泣起来,眼泪像溪水一般夺眶而出。

看见她这个伤心的样子,陈名真的有些心疼了,心疼的同时,竟然隐隐产生一种恨意,如果不是林娓聪轻浮地以身相许,他还可以在两个女孩子中多考虑一些时候的,也不会这么快就要负责任地结婚。或许多给他一些时间,他的妻子就会是面前这个伤心欲绝的纯洁的姑娘。

街上夜雾迷蒙,还起了一阵阵的风,更为这个场景增添了一种感伤的情调。

陈名脱下自己的外套,披在向媛的身上:"走,我送你回家。"

陈名的这一举动让向媛的心一软,紧接着又一热:这样关心自己的男人会是感情骗子吗?

一栋楼房中传出一阵悠扬的钢琴声,回旋的钢琴声使人愈加感到夜的深沉。向媛看了一下手表,已经十一点了。她得赶快回家,不能再在大街上蹉跎了。

回到家后,向媛越想越不放心,她避开已经沉睡的母亲,往陈名的家里打了个电话,接电话的是他的父亲,睡梦惺忪的声音:"谁呀?"

向媛的心激烈地跳起来:"我找陈名。"

"陈名不在。"

她要了一个心眼:"请告诉一下他新家的电话号码,我是他的同事,有急事找他。"

陈父的声音警觉起来:"你打他的手机吧。"似乎他的儿子早就给他打过"预防针"——如果有女孩子问我新家的电话号码,千万别给她。

"他的手机已经关了,请麻烦告诉一下他新家的电话号码。我弄丢了。"

"这么晚了,你究竟有什么急事找他? 你是谁呀?"陈父的声音越来越警觉。

向媛觉得没有必要再问下去了,结果只会让自己闹个难堪。她啪地一声放下了电话。他果然已经结婚了,从刚才和

76

陈父的几句谈话中她已经得出了这个结论。向媛手脚冰冷，她简直不知道自己是否还活着，但有一点可以肯定，那就是痛苦已经让她流不出眼泪了。

鬼使神差地，向媛拨通了陈名的手机："你在哪里？"

见向媛的电话出现在午夜之后，陈名着实吃了一惊："你还不睡？你明天还要上班呢。我现在快要到家了，已经在楼下了，你找我有事？"

"到家？到哪个家？"向媛的声音里夹着鼻音。

"你怎么了，我能有几个家？当然是爸爸妈妈那里了。"

"那好，你现在上楼，我打你家的电话。"向媛的声音一下子强硬起来。

陈名愣住了，他实在是低估了向媛的智商，看来她已经从他的家人口中套得什么了，纸已经包不住火了。

"为什么不说话？因为你在撒谎，你根本就已经结婚了。"向媛的声音陡地激动起来。

"向媛你听我说——我——我——"巧言善辩的陈名此时已经成了重症口吃者。

"要说什么，出来说。"声音已经成了命令式的。

"好好。"陈名现在只想挽留住向媛，对她此刻的要求他有求必应。

"就现在，我在我家附近的那个池塘边等你。"

"好，我马上就打车过来。等我。"

放下电话，向媛忍不住悲恸地抽泣了两声，但很快就用手捂住嘴巴，惊恐地朝母亲的床上看去，母亲一动未动。向媛平息了一下激动不已的呼吸，悄悄来到母亲床前，探了探她的鼻息，看来她已经进入了深睡眠状态。

向媛像个幽灵一样闪出了大门。

陈名怀着十五个吊桶打水一样的心情来到池塘边,向媛已经等候多时了。他向她冲过去,紧紧抱住浑身软绵绵的向媛:"媛,我爱你,真的,无论发生了什么,我对你的爱是真心的。"说完,他又紧紧盯住她的脸。

向媛的脸上露出了微笑,但陈名从这笑容里面看到了阴影。这阴影叫他打了个寒噤。

向媛拉着他在池塘的台阶上坐下,仰头看天道:"你看挂在树梢上的秋夜的星星,像累累果实,闪闪发亮。"

陈名大骇,向媛的神经好像受到了刺激,他突然担心性格内向、处世不深的向媛会不会受此打击而变成精神病患者。他这才醒悟到自己做了一件多么愚蠢的事,从一开始他就不应该脚踏两只船的。"媛,你没事吧?"

向媛从天上收回目光,静静地凝视着他:"你老实说,这到底是怎么一回事? 我不怪你。但如果你继续骗我,我会恨你一辈子。"

见向媛的神志还清醒,说话也正常,陈名这才放下心来。他决定向向媛和盘托出,因为如果继续隐瞒,事情将更加难以收场。既然已经到了这一步,也只能听天由命了。他原原本本地向向媛说了他和林娓聪的事,最后来了一句总结性的发言:"你知道你输在哪里吗? 你输在太过于保守,让人觉得你不够爱我。男人们都是十分要面子的,对自己感到难以到手的女人,是不肯自讨没趣的。这也就是为什么我向林娓聪求婚,而没有向你求婚的原因。并不是说我不爱你,而是怕遭到你的拒绝,就像你一次次拒绝我要亲近你的要求一样。"

向媛再也无法用伪装的平静来麻痹自己了,一声锥心的尖利叫声惊醒了回忆中的陈名:"骗子！你怎么可以这样卑鄙无耻。这是我的初恋,初恋啊,你却让它遭受这样的打击。陈名,你不是人,不是人!"

宁静安详的气氛一下子变得沸反盈天起来。陈名吓坏了,一边还要为自己辩解:"我不是骗子,我没有骗去你什么,我们到现在连接吻都没有正式过,更别说别的了。"

"你骗了我的感情,还有什么比感情更重要的。"向媛掩面而泣,苦恼失望的眼泪汹涌澎湃地流下来,那是从肝肠里绞出来的眼泪。

"我是真心爱你的,你说,你要我怎样补偿才肯原谅我?只要我能做到,我一定满足你。"陈名信誓旦旦。

有风,将疏疏落落的雨丝错乱地吹送到地面上来。

"下雨了。要不然我们找家咖啡馆坐下吧。"陈名提议。

"不用了,我说完我的要求,我们就各自回家。"向媛身体轻得异乎寻常,语音虚无缥缈。

"你说,你说。"陈名感到希望又来了。

"把你新家的电话号码告诉我。"

"干什么?"才升起的希望被一盆冷水浇下。

"不干什么,只是为了证明是否真的如你所说是真心爱我。"

陈名的额头出了一层冷汗:"如果你要我离婚,我就离,但你不要插手进来。"

"我没别的意思,只是为了试试你的诚意。你连这点小要求都办不到,还说爱我?"向媛冷笑起来。

"不是的,媛,我只是不想让你插手这件事。"

"我没说要插手,我只是要个证明而已。你怕什么? 怕我打电话给她？这说明你真正爱的人还是她。如果你要说不是,那现在就把电话号码告诉我,其他的废话我不要听。"

陈名这才感到真正棘手了,男人总是这样,希望享齐人之福,但真的面临着选择,他才明白究竟是谁对自己更重要。

两人都站在深夜的雨中沉默不语,眼睁睁地瞧着他们之间的爱情死去。

向媛的脸,在黑夜里也看得清楚,是愈加惨白起来了。

陈名吸口气搜刮话语,却怎么也搜刮不出。

"你走吧,我再也不想看见你。"说完,向媛突然喉头哽咽,泪水在眼窝里打转,好歹忍住没让眼泪流出。

就在这个难以收场的时刻,陈名的手机响了,是林娓聪从家里打来的:"你也不看看现在几点了,怎么还不回家?"

站在雨中已经浑身冰冷的陈名乍一听到妻子嗔怪的声音,突然感到一股暖流涌上心头,还有什么地方比家更温暖?何况家的女主人又是这样一个贤惠美丽的人。他已经失去了一个女孩的心,又怎能失去另一个女孩的感情。

"我马上就到家了。再见。"关上手机,看见向媛一双哀怨的眼睛里射出仇恨之火。陈名红着脸,躲躲闪闪把脸避开:"媛,太晚了,回家吧,雨好像大起来了。我们另外约个时间好好谈一谈。"

见向媛依然石柱一样站在一旁,陈名径自走了。虽然表情是痛苦的,背影是佝偻的,但是他毕竟决绝地走了,回到另一个女人的怀中去了。

向媛鼻尖酸楚,大颗大颗的眼泪像断了线的珠子一样掉下来,原来这竟然是个生性轻浮的男人,看见他的恋人痛苦,竟视若无睹。一阵悲伤,一阵仇恨,向媛感到浑身一阵发冷,又一阵发热,双腿像在梦里一样迈也迈不开。

天空萧索而又僵硬,俨然一块裹尸的麻布。

这就是她曾经认为苦难生活中最美的初恋,好像明灯之将灭,也好像昙花之一现,不过是一时之欢。犹如在深夜的街上行走的人,不堪那种幽寂,口里哼出歌儿之类,一哼完了之后,那种幽寂反而更加凄厉迫人。

让我死了吧,就跳进这乌黑的池塘里,活着有什么意思!向嫒以为她的大声呐喊会让全世界的人听到,其实只不过是她的嘴唇在翕动了几下,什么声音也没有发出来。

为什么全世界的人都没有反应?所有的人都是冷酷的。一个阴影从向嫒的头脑中掠过:为什么我要死?为什么受到伤害的人反而不能在这个世界上生存,而丧尽天良的人却可以悠然自得地享受生活?我偏偏要改变这一切,让作恶的人求生不得,求死不能,最终咀嚼自种的苦果而后悔终生,最好发狂而死。

她哈哈大笑起来,她以为只是在心里笑,其实她那惨痛变形的厉笑已经在池塘上空盘旋飞舞开来了。

10

　　陈名和林娓聪双双醒了。阳光灿烂的天空要拉他们起床,但是初冬那明媚清寒的早晨却透着凉气,使他们不愿离开被窝。

　　"该起床了,上班又要迟到了。"林娓聪捏了捏陈名的鼻子说。近来不知为什么,陈名的态度又差不多回到了婚前,又懂得珍惜起她来,而且下班后都是准时回家。林娓聪虽然不明就里,但还是很高兴,有什么比夫妻和睦更让人宽心的。为此,她又恢复了颊边常浮笑容、眼中时刻闪烁青春欢乐的愉快神情。

　　陈名脸对着她的脸,看见林娓聪大大黑黑的眼仁里闪出几点亮光,他忍不住吻住了她的眼睛:"真美。"

　　"好了,"林娓聪推开他,"我数到三,我们一起起床。"

　　"不要了,你反正不上班,再多躺一会吧,冬天赖被窝是最舒服的事情。"陈名说着,已经快速地穿好了上装。

　　见他如此体贴,林娓聪感到无比宽慰。也许前一段日子的冷淡是他不习惯新婚生活,现在已经适应了新生活,她的陈名就又成了以前的陈名。想到这里,嘴角里也便自然地泄漏出笑影来。

陈名边穿衣边看着她,昨晚在朦胧的灯光下,他尽情地享用过她的肉体,她的肉体在灯光下带着一种妖艳的媚状,让他神魂颠倒。但现在她整个的神采,在白昼的亮光中,都全部表现出来,像黎明时分的太阳,光芒四射。他看呆了,他不明白前一段时间他是怎么了,好像着魔一样,竟会痴迷向媛而冷落新婚的妻子。向媛虽然温柔纯洁,但女人的漂亮总是最重要的,是放在首要位置的。望着她,他心里的喜悦和幸福,热辣辣地好像饴糖一样溶化了。如果不是赶着去上班,他真想在灿烂的阳光下与她再交融一次。

林娓聪接触到一双好像要说话的眼睛,此情此景,让她想起五月的杭州,在那个西湖边上的宾馆里,他们曾经心心相印。以为刻骨铭心的交心已经在恋爱的坟墓——婚姻中成为了过去,却不料在这初冬的明媚早晨,那种感觉又回来了。不知是五月的激情回光返照,还是由于心情惶乱,她的两颊上忽然泛起了一层霞晕。

“再见。”陈名走出门外,眼前依然拂不去妻子的形象。他看出来他的妻子很爱他,她的全身心都洋溢着对他的爱,那披拂在肩头的秀发,那欢欣地顾盼的眼神,无不透露着同一个消息。这让他既甜蜜又得意。

门“乓”的一下关上了,屋子里因为少了一个大嗓门而突然宁静起来。这突如其来的宁静,显得很陌生,很不自然,而且好像暗地里就要出什么岔子似的。林娓聪奇怪生活在幸福中的自己为什么会突然有这种不祥的感觉,这种感觉破坏了刚才的好心情。她披了一件外套起床,把窗子开了一半,让高架路上隆隆的汽车声给家里带来一点声音,哪怕是噪音,在害怕安静的时刻听起来也像是一种爵士乐。

还没等她重新回到床上,电话铃响了,她赶紧把刚开启的窗子重新关上,赤脚奔到床头,拿起了电话听筒。她一开始以为是哪个朋友打来的,却奇怪地在电话里听到了一阵轻轻的压抑着的哭泣声,是一个年轻而陌生的女人的哭声。

"谁呀?"林娓聪有些心慌,她想若是在半夜里听到这种哭声,一定会以为是幽灵出现,一准会吓得魂飞魄散的。

听到她的问话,哭声戛然而止,随即是一种虚脱般的声音:"我打了很多电话,不是没人接,就是都是小孩子接的,只有你,是第一个成年人。你愿意听我说吗?"

"什么?你说。你究竟是谁?我的电话号码你从哪里得来的?"林娓聪带着一连串的疑问,这样古怪的事情她还从来没有碰到过。

"我叫林玉洁,你的电话号码是我胡乱拨到的。看来我们真有缘。"林玉洁唏嘘了一下继续说:"我碰到了一件简直要我命的事情,但我又不能向认识的人倾吐,这样太丢人了。可我又不能不说,这样我会憋疯的。"

林娓聪的同情心立即被这个陌生的女孩勾起了,同是女人,哪怕素昧平生,她也想给予她一点绵薄的帮助:"你告诉我吧,我看看能不能帮你。"

也许是感知到林娓聪是一个善良的女子,林玉洁的声音不再那么悲伤绝望了:""我今年二十四岁,仅仅有过一次恋爱经历,但就是这个初恋情人,他骗了我,他原来是个有妻子的人。"说到这里,林玉洁的唏嘘声又出现了,"人怎么可以这样。"

原来杂志上刊载的问题现实生活中还真有。林娓聪心想。"这样不幸的事发生在你这么个纯洁的女孩身上,我真为你难过。现在你既然已经看清了他的真面目,一定已经分手了吧?"

"是的。但是他带给我的心灵创伤是抹不平的。"

"时间会抹平你的伤口的。你千万别钻牛角尖,不要想不开。换个角度想想,这也未尝不是一件好事。"

"这怎么会是好事呢?"对方的声音里显然夹了愤怒的意味。

"你别误会,我可不是在拿你寻开心。生活在风平浪静里的人是不会成熟的,挫折打击是一笔财富,承受痛苦的同时你也必然收获着希望。你说对吗?"

对方良久不语,直到林娓聪又"喂"了一声才说:"可以问一下你的职业吗?"

"说来惭愧,我暂时没有正式工作,只是在家里进修一下而已。"

"我不明白你的意思。"

"我在家复习功课,准备报考研究生。这是我未完成的一个心愿,因为我大学毕业即将考研的时候,生了一场大病,所以错过了考试时间。这件事一直是我心中的疙瘩,现在有时间了,而且不必为生计奔波了,所以我想完成自己的心愿。"

"你真了不起。当时你生了场什么大病?"

林娓聪见林玉洁把话题扯到了她身上,于是就把偏离轨道的话题纳入正轨。因为她急于想把电话放下,这个相对她来说是个无聊的电话浪费了她不少时间。"看来你的心情好了不少。你认为我刚才的话对不对?"

林玉洁的声音又黯淡了下去:"我倒认为是'看破世事惊

破胆,识透人情寒透心'。"

林娓聪尽自己的能力安慰着她,但收效甚微,对方只是一味地沮丧,一味地霸着电话。见已经差不多要一个小时了,林娓聪不由暗暗焦急:"那你究竟想怎样呢?"

"我只想报复。"

"那最容易了,你可以找到他的妻子,告诉她真相,让他们离婚。这不就是最好的报复吗?"

"但是万一他的妻子不离呢? 如果你是他的妻子,你会离婚吗?"

"当然会了,这种不忠诚的男人,怎么能和他生活一辈子。"

"真的吗?"林娓聪不明白她怎么突然欢呼雀跃起来了,"你真的会离婚? 啊,我现在心情好多了,谢谢你,我们交个朋友好吗?"

"好的。"虽然林娓聪对交这个朋友极没有兴趣,但出于礼貌,她还是违心地答应下来了。

"太好了。你长什么样? 一定很漂亮吧? 像哪个电影演员?"

林娓聪有些忍无可忍了,时间已经过去一个半小时了,而无聊的闲扯似乎永无止境,回答完了自己有些像台湾演员胡慧中,她又问和丈夫的感情怎样。好像她不是来向人诉苦,而是来探听别人的隐私一样。

真有这样不识相的女人,难怪会不被男人当回事。林娓聪心里想,她没法让自己的声音不冷淡下来:"不早了,你该去吃午饭了,别为了不该爱的男人饿坏了身体。"

可对方偏偏像少根筋一样听不出对方的逐客令,依然兴致勃勃地说:"还不到十一点呢。哎,你爱你丈夫多一点呢,还是你丈夫爱你多一点?"

林娓聪真想大喝一声:你还有完没完! 是你要将自己的私事告诉不相干的人,现在有什么权利去盘问别人的私人生活? 但是良好的教养没有让她这样呵斥,她只是让自己的声音更冷淡下来:"我到现在还没吃早饭呢,以后再聊吧。"

"我们现在已经是朋友了,下回我到你家来玩玩好吗? 我真高兴能认识你这个朋友。"

真是越来越过分了,林娓聪隐隐觉得有些不对,这个人不是神经病就是骗子吧,她对她产生了一种说不出来的厌恶感,同时也提高了警惕:"你留个地址下来吧,我有空来你家。或者留个电话号码,过两天我打电话给你。"

对林娓聪的这个回答,林玉洁显然吃了一惊,她大叫道:"啊,水开了。对不起,我们再联系。"说完,"啪"的一下挂机了。

林娓聪的心情被这个莫名其妙的电话搞得糟透了,她隐隐觉得这个女孩会与陈名有关。但这个念头仅仅是一闪而过,她笑话起自己来,大大咧咧的陈名怎么会做这样卑鄙的事情呢? 何况如果真有这么个女孩,她也不会迟钝到一点也不知情的地步。就算所有的男人都是不可信的,大孩子陈名对她来说也是最安全的。想到这里,她释然了。她伸了个懒腰,虽然心情被刚才的那个女疯子搞得还有些烦闷,但想到陈名的爱,她还是露出了笑容。她来到阳台上,和暖的太阳照在她穿着绒布睡衣的肩上,让她觉得通身的轻快。太阳真好,被子该拿出去晒晒了。

啊,连她的思维都成了主妇式的了。

11

天际有一点亮光在闪烁，不知是灯火，还是破晓的曙光。向媛从躺下到现在，眼睛一直没有合上过，一直盯着没有拉窗帘的窗户看天空。她制定了一套周密的报复计划：一、想办法搞到陈名新家的电话号码。二、打电话给陈名新婚的妻子，探一下她的口气，如果是个发现丈夫有不忠行为就会离婚的女人，那就实施第三个计划。三、沈一允一直对自己念念不忘，现在不管自己爱不爱他，会不会爱他，都去接受他，做他现在的女友，将来的妻子。四、勾引陈名，让他为自己痴迷，然后间接通知林娓聪，让他们离婚。五、陈名离婚后一定会向她求婚，她便假意答应，定好婚期。六、她和沈一允开了结婚证书，签证很快下来。当她奔赴美国的那一天，就是她答应陈名举行婚礼的一天。也就是说当陈名傻傻地在宾客如云的宾馆等待新娘的那一刻，也就是她登机的时候。

在经历一个月撕心裂肺的煎熬，一个月不知日月的生涯，向媛处心积虑地制定了这六条计划。她不知道这样做会不会成功，会不会损人不利己，但她知道自己必须这样做。作恶的人必将受到惩罚，爱欺骗的人必须讨个说法。如果仅仅是直接告诉林娓聪陈名的可耻行径,让他们轻易离婚了,那对陈名不会有什么大的伤害,他一表人才又花言巧语,很快又会找到新妻子的。她必须让他痛,让他刻骨铭心,让他一辈子都在追悔中度过,一辈子都得不到心灵的幸福,一如她。她所遭受的心灵创伤,他要加倍地偿还。

计划的第一条就有很大难度,但向嫒铁了心要报仇,她相信精诚所至,金石为开的哲理。她不断地往陈名父母家打电话,谎称是他的老同学。终于有一天电话是陈名父母家的钟点工接的,她毫不怀疑地就把他新家的电话号码奉献了。如今计划已经顺利地进行到第三条了,她成功地运用了三十六计中的第一计——"瞒天过海"。现在她要运用第三十一计——"美人计"了,应该没有难度,像他这样花心的男人,永远都会觉得野花比家花香的。因为她保守,所以他选择了林娓聪。如果要勾引他的话,像以前那样躲闪肯定是不行的,一定要给他一点甜头尝尝才能让他对自己俯首帖耳。但她是处女,她不能为了报仇而让这个禽兽毁了自己苦心保留下来的贞操。他的双手双唇可以接触她身体的任何一个部位,但她不会让他攻取最后的一个堡垒。

我是复仇女神。陈名,你就要咽下自种的苦果了。

向嫒的心里,掀起了恐怖和喜悦的漩涡。原来每个人都有潜能的,就看你是否能挖掘它。一直以来都认为自己窝囊、单纯、与人为善,原来自己还有这样厉害、复杂、以怨抱怨的一面。是的,是刻骨的仇恨使她的眼睛豁然开朗起来。

这一夜,又是无眠。

当她飘飘忽忽地踏上去学校的晨路时,阳光像金刚石似的照耀在向嫒的头发上、脸上、身上。与这温暖的自然景观相反的是向媛的眼睛,那双在破碎家庭中形成的忧郁的眼睛,因为没有了脸颊上红晕的辉映,看上去更显得忧虑不安。

当她走到校门口时,看见校长脸色阴沉地站在一边,好像是专门在等候她一样,见到她,点一点头说"你果然又第一个来了,最近一个月你总是第一个来。是不是有心事,所以总睡不着,才早早起来的?"

"不,今天我是第二个。"向媛不知道自己怎么还能幽默得出来。

校长笑了笑,那笑容就仿佛从云端里露出的一线阳光:"到我办公室来一趟。"说完,径自先进去了。向媛尾随其后,隐隐觉得有什么不幸的事情即将发生。

校长让她坐下,似乎有些难以启齿的样子,向媛既不追问,也不敢看她一双精干的眼睛,她的目光只是停留在校长的脖子上。不管校长的身材和脸庞看上去有多年轻,她的脖子已经松松垮垮了,好像是刚刚被宰杀烫毛过的老母鸡的脖子一样。向媛有些惊奇,原来女性的脖颈竟如年轮一般井然地记载着年龄。

向媛这种出神地盯视他人弱点的行为着实激恼了校长,她抛开顾虑,无情地开门见山道:"我们经过商量,决定让林红当你现在这个班的班主任。你去教一年级2班的语文。"

向媛感到从头顶被泼了冷水一般,她的血液在沸腾,而躯体却像僵尸一样一动不动:我终于被从正规大学出来的小丫头片子给淘汰了,降级去教一年级,而且不是班主任,一年级2班的班主任是四十岁的数学老师。

"最近一段时间,老师们都反映你反应迟钝,神情恍惚,而且你在教学方面一直停留在原地,没有长进。你虽然已经拿到了夜大文凭,却没有运用到实际中来。比如写作文,你总是老掉牙的什么《记一件难忘的事》啦,《我的母亲》啦,《记一件小事》等等毫无新意的题目。而林红则不同,她善于开发孩子的智力,把课上得生动有趣,比如写作文,安徒生童话中的《丑小鸭》,她让孩子们改结局,重写《丑小鸭》,每个孩子笔下的丑小鸭都有一个不同的结局,俨然又是一篇篇出色的新童话——"

向媛木然地坐在那里,听着这些仿佛从另一个国度发出的声音,感到脑门潮呼呼的,思绪非常混乱。

"你在听吗?"见向媛的眼神一片茫然,校长打住话头问道。

向媛不意之间立起来:"一切听从组织的安排。"

"那好,你去办一下交接的手续吧。"

当向媛走出校长室时,那种求死的欲望又上来了。家庭、爱情、事业,人生的三大重要方面她都是个失败者,活着不是变得毫无意义?

孩子们由家长护送着从校门口陆陆续续地走进来,每张小脸上都洋溢着幸福的欢笑。看见这种无邪的笑脸,向媛的眼泪突然掉了下来。她还有将来,将来她也会有像这样可爱的儿女,她会从他们身上得到快乐的。一切痛苦都是懦弱的表现,在坚强有力的生活感召下自会悄悄隐退,人类肉体里面留存着的生活感召似乎远比所有的求死之意更为强烈。

"向媛,你来一下。"向媛回头看见黄美娴在总机室门口向她招手。

她无力地冲黄美娴一笑,笑得如同夏日傍晚从树丛间射进的最后一缕夕晖:"不,我要去和林红办交接。"说完,扭头就走,并且加快了步伐。

"等一等。"黄美娴气喘吁吁地追了上来,"你先暂时忍一忍,等把自己的心态调整好了以后,我去跟校长说恢复你的职位。"

"不用了,你插手我的事对你不好。"

"没关系,你忘了我和校长的特殊关系?"黄美娴边说边斜睨着向媛心事重重的面容。

"真的不用了,我本来就是要办辞职的,我想出国。"

"出国? 你真的打算嫁给沈一允? 为了赌气去嫁一个你不爱的人?"

一谈到爱与不爱的问题,向媛就无比苦闷起来,不是为了赌气,而是为了报仇,她必需嫁给一个自己不爱的老男人。随着这种苦闷的急剧发展,她就像被摘下来的玫瑰一般衰萎下去。

"唉,下班后我们找个地方坐坐,好好聊聊? 你这种精神状态是不行的。我真替你担心啊。"

看着黄美娴关切的样子,向媛的心中又闪过一个罪恶的念头:或许她的友谊和同情可以帮助自己更完善地进行报复计划? 向媛充满复杂的感激之情对黄美娴说:"谢谢你,美娴,能交到你这样一个知心朋友,我的人生也不算乌黑一片了。"

黄美娴被她说得不好意思起来,心中不由产生了为朋友两肋插刀的义气。

向媛来到办公室,看见林红已经在她的办公桌旁等她了。林红、林娓聪,都姓林,她上辈子是不是欠了姓林的什么了,一个抢走了她的爱人,一个抢走了她的职务。想到这里,她看林红的目光就像看情敌,把一张温柔的面孔一板,带上一股强悍的神色。

见到手下败将这副模样，林红在嘴角之间露着讥讽的微笑。

看见林红的鄙夷之笑，向媛感到心窍都要被气爆了，她的头脑一阵发热，大踏步地越过林红，朝正巧在的教导主任走去："主任，我想辞职，需要移交工作。"

教导主任吃了一惊，连秃头也似乎亮了一下："好好的，怎么想到辞职？"

向媛心里说：因为命运多舛。她用眼角的余光看了一下林红："因为我要出国，去美国，正准备办签证。"

眼角的余光看见林红露出了惊讶的表情，向媛心中得意了：怎么样？你不过是个小学老师，而我可以跳出国门了。和我比起来，你还是一个失败者吧？那还骄傲什么呢？

"去美国留学？"教导主任问。

"暂时保密。"当着林红的面，她不愿意说自己是去嫁人。

眼角的余光看见林红现出了艳羡的表情，向媛感到这一仗她是彻底反败为胜了。

教导主任露出为难的神色："你突然说要辞职，我们都没有思想准备，新的老师也不是一下子就能找到的，你既然一定要辞职，也得慢慢来。"

向媛爽气地说："没关系，反正我也不是明天就要出国。"

"那让你带一下新老师可以吗？"

"没问题。"

在与林红办交接时，为了显示自己心情轻松，向媛轻轻哼哼着歌曲，但不知是为了不至于太露骨还是因为底气不足，只听得见她的声音，却听不清歌词，几乎全是鼻音。哼得最轻时,只有离她最近的林红一个人能听得见,好像是一种隐隐约约的游蜂的声音。

办完交接,林红上课去了。因为向媛的辞职,便已不用去教一年级的小朋友了,她戏剧性地成了代课老师。现在无课可代,她就无所事事地呆在空无一人的办公室里,眺望窗外的白云朵朵。她感到自己只是无舵的孤舟在日暮的海上浮泛着一般,惊惶地,漫无目的地胡思乱想。——她一任电话铃响着,却一动不动,她什么都没有了,她对什么都提不起兴致了。但那个电话却十分执著,好像料定办公室里有人一样,一遍遍地响着,毅力可佳。向媛像吃了安眠药被吵醒一样晕晕乎乎地拿起电话听筒,却连个"喂"字都发不出。

"向媛,我就知道你在。"原来是黄美娴,即使向媛不出声,她也能从呼吸中判断出是她来。"怎么你辞职了? 你从来没对我说过,也太不够意思了吧?"

向媛苦笑了一下:"消息传得可真快啊。"

"你现在可是新闻人物。还说是好朋友呢,这样的大事也不先和我说一下。"黄美娴关怀的口气里带埋怨的成分了。

"我是刚刚才决定的,还来不及通知你。"

"为什么?"黄美娴惊叫起来。

向媛不语,因为她的眼泪又流下来了,怕一开口,被对方听出。

"向媛,你到我这里来,我们好好谈谈。"

让黄美娴成为自己报复计划中的关键人物的念头又出现了,向媛擦去眼泪:"我马上就下来。"

当她向总机室走去的时候,远远就看见黄美娴守候在门口了。她走过去,略微扬起脸,递出一缕虚弱无力的微笑,淡淡的,如空气的一颤。

"你怎么了,"黄美娴上前一步握住她的手,"你知不知道你在拿自己终生的幸福和前途开玩笑?"

"我这种人,哪有什么幸福和前途。"黄美娴的热情和关切令向媛感到一股暖意涌上心头,但是她的心冰冻得实在太厉害了,这股暖流就像杯水车薪,对她的痛苦来说,几乎起不到什么作用。她边说边走进总机室,找了个从门口一眼看不到的隐蔽的角落坐下。

"嗳,你这个人哪,怎么钻进牛角尖里就出不出来了呢?这一个月来我劝你劝得唾沫都干了,难道说的都是废话,对你一丁点作用都没有?"黄美娴喉咙里的那个闸门打开了,话语源源不断成堆成串地涌出,"你傻不傻啊,有几个人的初恋是成功的? 你却为了一个无耻的男人甘愿毁了自己的一生,把个好好的工作给丢掉,再去嫁一个自己不爱的老男人。向媛向媛,你平时挺聪明的,这会儿怎么蠢得像头大笨牛一样?"

"你骂够了没有?"向媛的眉头蹙起来了,"我来这里可不是听你教训的。我最讨厌别人教训我,从小我就被妈妈教训怕了。"

黄美娴也觉得自己有些过激了,她难为情地笑了一下,口气转变得又软又滑:"劝你没用,只好改用骂你的方式了。"

"我知道你是为我好,如果真的是为我好,你肯不肯帮我一个忙?"向媛的眼神里流露出希冀之光。

黄美娴觉得自己马上英雄将有用武之地了,她拍着胸脯说:"什么忙你尽管说,我是怎样的一个人,难道你还不清楚吗? 我愿意为朋友两肋插刀,在所不辞。"

临到要说出来,向媛又退却了。如果黄美娴知道她的好朋友内心还有这样可怕的一面,知道小绵羊一样的向媛还有狼的本性,她还会像现在这样信任喜欢她吗? 她会不会用看一个什么恐怖动物一样的眼光来看她? 向媛害怕看见出现这样的后果。

黄美娴不住地催促着,向媛一咬牙,舍不得孩子套不到狼。说!

"我受到了极大的伤害,现在我只想报复他,你能理解吗?"

"我当然能理解,如果换成是我,只要有机会,我也会报复的。"

向媛跳跃的神经因为这句话而稳定下来:"机会是要靠自己去创造的,我正是在创造这样的机会。"

"哎呀。"黄美娴叫了起来,"我最讨厌别人说话转弯抹角了,有什么话你就直说吧。只要不是让我去杀人,我都答应你。"

"真的? 你不会对我改变看法?"

"当然了,我是你的好朋友嘛,我知道你的本性是好的,就算你做出什么让我吃惊的事来,我也不感到奇怪。一俟报复完毕,我相信你还会是以前的向媛。"

听了这些话,向媛感动得几乎要落泪了,至少她的声音里已经带了哭腔:"如果要涉及到无辜呢? 你也不会觉得我可恶、残忍?"

"你是指陈名的妻子? 谁知道她是不是无辜的,就算是,也是她活该,谁让她不把眼睛擦擦亮,嫁了这样一个男人。"

听了黄美娴的一番话,更坚定了向媛报仇的恶念。是啊,他们有什么权利在铺着花朵的路上迈着轻快的步子,享受着心灵的和谐呢？而她却要在日出日落,晓暮晨昏中咀嚼痛苦的滋味。

当她把报复计划简明扼要地告诉了黄美娴之后,黄美娴马上心领神会地说:"我知道了,你是要我替你把一切可疑的电话给应付过去。没问题,谁让你是我的好姐妹呢。"

向媛热烈地拥抱了黄美娴,人生得一知己足矣。

门外有人一闪,似乎是大队辅导员。向媛起身道:"我走了,我已经丢了饭碗,再陪上你,我的良心就更不安了。"

黄美娴点头表示同意,末了追问一句:"出国以后会不会忘了我这个老朋友?"

"不但不会忘,只要你需要,我还会尽力帮你呢。"

黄美娴像吃了定心丸一样喘了一口气:"行,就让我们互相帮助吧。"

黄美娴的最后这句话让向媛的心头一沉:难道她现在肯帮我是为了今后能利用我?向媛的背脊一寒:原来人生根本就没有知己,人与人之间都是相互利用的。想到这里,向媛的心又悲凉起来,觉得整个人都空落落的,而且没有支撑点。她曾经所最信任的两个人——陈名和黄美娴,原来一直以来她都在闻他们那美丽辞藻里散发出来的阵阵虚假臭味,却把它当成琼浆玉露而喜不自禁。

向媛的鼻尖一酸,命运对她太残酷了——破碎的家庭、缺少父爱的童年、严厉得有些变态的母亲、受欺骗的初恋、失败的事业、渺茫的未来。就连一个同性知己,到头来都发现是假的。我恨你们,一切的一切,我都恨!向媛把牙咬得咯咯的,被侮辱受损害的人,不会永远被侮辱受损害。

当她走近办公室时,突然止步不前了,那里一定有几个老

97

师聚集在一起,拿她的不幸作为话题,猜测、想象、幸灾乐祸。办公室里一定扑动着许多条利舌,它们会像刀子似的割刮着她本已破碎的心。

向媛觉得自己像个软体动物一样没有骨头了,她站也站不住,勉强扶住墙壁,额头的冷汗和眼中的热泪就一齐刷刷而下。

12

午后的沉默很是滞重,窗外强烈的光粒子犹如尘埃一般闪闪漂浮,那尘埃一样的光粒子不停地变动,如同云雾一样消长不定。

　　向媛叹了一口气。母亲去姨妈家了,她在时嫌她烦,她不在时,连空气都透着寂寞。自己的辞职手续办得差不多了,沈一允又向她求婚了。这在向母看来,她女儿的苦日子就差不多要到头了。她回想着母亲刚才那番喋喋呱呱的话:"姻缘前定,今世的婚姻是前生就安排好了的。我第一次看见沈一允,就有一种自家人的亲切感,我就知道这一定是我的女婿了。可那时你看不中他,但我不急,是你的怎么样都跑不掉。这不,你想想终于想通了。现在看见沈一允对你这样好,我也安心了。你可千万不要辜负对方的一片诚意啊。你若做出什么对不起他的事情来,我第一个饶不了你。这可是一个打着灯笼也找不到的好人,和你爸爸比起来,一个是天,一个是地。"

　　听了母亲的一番唠叨,从向媛的唇边,微微发出叹息,就像微含月色的云,是一种微含哀愁的欢喜的叹息。人非草木,常常面对沈一允的温情爱护,向媛的心怎会无动于衷。现在沈一允又回美国了,但他们天天相会在网上。他诉说着对她的思恋和关心,她汇报着日常起居。与其说他是她的恋人,倒不如说他更像她的一个大哥哥,甚至是一位德高望重的长辈。与他相处,向媛找不到和陈名在一起时的强烈的兴奋的爱情的感觉,但却有一种对父亲般的依恋和温馨。

无数次,向媛动摇着向陈名复仇的决心,因为那样太对不起毫不知情的善良的沈一允。陈名残酷地背叛了她,使她的纯洁的心蒙上了一层灰色。她不报复,胸中的一口怨气恐怕永远都出不去。

向媛又捧起了英语课本,为了今后能在美国拥有和美国公民一样的日常生活,她只得加强英语的训练。就现在的状况来说,出国似乎是唯一的出路。她现在无论是在感情上还是在事业上,都是一个失败者,一个走进死胡同的无名小卒。但是出国以后,借助沈一允的力量,她便可以扶摇直上,飞上枝头当凤凰。至于有没有真正的爱情,已经不重要了。

随着忘我地苦读,向媛的英语水平在不断提高,她的脸色也在一天天地苍白下去。在这种自我折磨的状态下,她得到了自我完善,但完善的仅仅是她的英语说写,对她的心理素质却毫无帮助。

到时候了。她合上书本,对着镜子中那张苍白的脸说。

她拨通了陈名的手机,按动十一个数字,像挖十一个坑一样用力。

"是你?"陈名听见她的声音,显得意外、惊讶。

"你生活得好吗? 我想见见你。"

"啊。"陈名轻轻叫了一下,听不出是欣喜还是厌烦。

"我爱你。陈名。"向媛说这句话的时候,抽了自己的嘴巴一下。

"媛,我对不起你。"陈名显然上当了,声音里竟然有了一种哭腔。

"今晚有空吗？我们见见面。"

"有空有空,你说在哪里见面？"

"蔷薇曳咖啡馆,行吗？"

"咖啡馆？"陈名的惊讶无法用言语来表达,"你是个只去红茶坊不去咖啡馆的女孩子呀。"

"那是你不了解我,我们接触得太少了。"

陈名讪讪地笑了两下。

"好,说定了,不见不散。"

挂上电话,向媛心中腾然升起一股变态的快意:好极了,蔷薇曳咖啡馆。陈名不是说过那是他和林娓聪常去的地方吗？我倒要看看那是个什么样的地方,凭什么就可以让陈名拜倒在她的石榴裙下。蔷薇曳咖啡馆,起到了推波助澜的作用吗？

吃过晚饭,向媛对母亲慌称去同学家里玩,然后对着镜子,花了一番心思,把自己打扮得光彩夺目后离开了家门。

她是准时到的,陈名已经在那里等候着。才两个月的工夫,他就胖了不少,看来林娓聪把他调理得不错。向媛心中一酸,她发现自己竟然还爱着他。爱和恨本来就是分不清的。

陈名看见她,显得异常拘谨,眨巴着眼睛,咕嘟咽下一口唾沫,然后讪笑着把她引进咖啡馆。

向媛边走边四下环顾,咖啡馆里的人并不多;四壁的灯光显得特别柔和,好像是春末时的凋残的花朵,苍白而幽美。陈名和林娓聪就是常常在这里度过美好的恋爱时光？向媛的心无比凄凉起来。

两杯咖啡端上了被擦得透明的桌子,灯光使杯子、桌子、椅子、勺子还有陈名都成了金色的琥珀,像黄昏时刻一样绵软而又神秘。

"林娓聪很会选地方,她是不是一个很懂得浪漫的人?"向媛问,她的声音在微微颤抖。

"不是,她不会制造浪漫,却渴望别人给她制造浪漫。"

"她是不是很漂亮?"

"第一眼看是很漂亮,但时间久了,容貌就是次要的了,她的性格要是能及得上你的一半,我就要烧高香了。"

向媛在心中暗暗冷笑一下:这就是男人?

"她的性格不好吗?"

"挺古怪的。"陈名看着她,好像在快要打雷的乌云底下走路似的,诚惶诚恐地说,"我们不要再谈她了好吗?"

向媛克制住内心的翻腾,展露出一个妖媚的笑容:"对,我们两个人的时候不要她夹在我们中间。"

他们东拉西扯地漫谈起来,一个小时后,陈名终于忍不住问:"你来找我,是为了什么?"

陈名听见一个凝滑的、绢样的声音,在咖啡的香气和昏黄的灯光里边荡漾开来:"不为什么,只为了能看见你,能和你在一起,别无所求。"

"媛。"陈名用力抓紧了她的手。向媛顺势把他从对面拉到自己的身边,她靠在他的肩上,仰着脖子,心醉神驰地看着他英俊的脸,然后嘴微微张着,轻轻地低诉:"原来我是这样地爱你,爱得什么都不要。"

陈名疯狂地紧紧拥抱住她,说不出一句话,他觉得自己是被一种熔铁的痴情所熔化了。

向媛的脑海里突然出现了沈一允的影子,她默默地说:对不起,对不起,但我必须这样。

陈名用力吸吮着向媛的舌尖,她一动不动地听任他的狂吻。陈名的双手捧着她的细腰,他感到她处女的肉体像个禁园似的吸引着他。

当向媛感到陈名的手准备伸进她的衣服里面时,她推开了他,不是为了别的什么,而是不想一次让他得到的太多,她要像一个鱼饵一样钓住他这条馋鱼。

陈名看着向媛的脸,向媛也看着他。陈名第一次发现原来向媛的眼睛是那么大,看去就仿佛那里的愁苦也格外多。他是怎样地伤害着这个痴迷的姑娘啊,自己却一直懵懵懂懂,毫不知觉。他想起了徐志摩的一句话:留着你半夜惊醒时一颗凄凉的眼泪给我吧。他也只能做到这点了,给她一点残缺的爱。因为温馨的小家里有一个温馨的美妻在每天含情脉脉地等候着他。

向媛感到陈名的热情突然冷了下来,她估计他是想到林娓聪,心头浮起内疚感了,一如她想到沈一允时的感觉。她要让他的内疚随着与她感情的深化而慢慢变成对林娓聪的厌恶,她觉得自己只要力尽所能,是可以做到的。比如她想拿文凭,就拿到了;想学英语,就能在短时间里攻克了语言和书写的难关。

向媛的眼睛在此时看来分外妩媚,她不住地向陈名流盼着,而这流盼却是近乎淫荡而含有诱惑的意味。这种眼光让陈名心悸,因为那不是向媛应该有的眼光。但这种眼光又让他心旌摇荡,因为那是勾人魂魄的眼光。

向媛听见陈名的呼吸在加重,她突然说:"不早了,我明天还要上班,我们走吧。"

本来好像伸手就能得到的东西,突然一下子跑远了,陈名感到原来像白开水一样单调乏味的向媛,几个月不见,已经自酿成了一壶美酒,非常有吸引力。

当他结完账与向媛来到大街上时,才发现她穿着一条黑色缎子长裙,脸色显得十分苍白,就像一个长期缺乏新鲜空气的病人。他感到心有些痛,替她披上搭在她臂弯里的黑色长大衣:"小心着凉。"

向媛感到眼睛里有泪了,她赶紧仰起头,让泪回到源头。她看见天上有半轮寒月,高挂在天空的左半边。淡青的圆形天盖里,有几点疏星,散在那里。

她对自己说:不要动情,你现在是复仇女神,你不要再被他的假象迷惑了。你要像那天上的寒月疏星,不带任何感情色彩。

在这一刻,她彻底地收拾了爱情的零落花片,毫不顾惜地把它们丢到了世界的尽头,在时代的狂风暴雨中埋葬了。

"我什么时候可以再见到你?"从来没有一次分别会像今天这样依依不舍,陈名觉得他的向媛在飞速成熟,成熟的女性总是比单纯的女孩有魅力的。

"只要你想见到我,任何时候都可以。打我的 CALL 机吧。"向媛用一种迷蒙的眼神看着他,用一种迷糊的声音说。

"向媛,你越来越漂亮了。"陈名有些不能自持地搂住她说。

整个大街浸在澄澈的月华里,树丛把朴素的黑影投在地上。更远处,万千的灯火透过黯淡的夜空放着寒光。

多美的夜啊,可惜两个当事人都心怀鬼胎。一种高傲的情思涌进向媛的遐想,同时她的中枢神经也发命令了:干得不错,不过今天可以收场了。

她挣脱陈名的怀抱,却朝他递去一个美丽媚色:"回家吧,来日方长。"

陈名觉得此时女性所有的美,在向媛身上具体化了,他突然觉得其实综合起来看,向媛要比林娓聪优秀,她有太多表面(比如有固定工作)和潜在(比如她的暗媚)的优点,而林娓聪除了给人惊鸿一瞥的感觉和那一无实利的好学精神之外,还有什么呢? 其实向媛才是最佳的妻子人选,而林娓聪也许做情人更合适。可自己却阴错阳差,把位置给弄颠倒了,现在后悔已经太迟了。

一路后悔到家,开门首先看见林娓聪粉白的脸上两道眉毛蹙在了一起,非常富于表情地撇了撇嘴,接着就把背脊转给了他。

"真是庸俗!"陈名暗道。但为了避免发生战争,他还是强忍不满劝慰道:"又怎么了? 我不是跟你说过,有两个外地客户来上海,我要陪他们吃饭嘛。"

"吃饭? 那为什么把手机关了?"

"手机关了?"陈名佯作看手机样,"呀,我没注意,还真关着。"

林娓聪相信了她的谎言,因为即使有再大的疑点,她的潜意识里一直都根深蒂固地认为陈名是一个胸无城府的大孩子,瞒着妻子在外面找情人的事情是做不来的。况且她对自己的魅力充满了自信,人见人爱的林娓聪怎么会输给其他的女人呢?

林娓聪一抬头,看见陈名的头是气宇轩昂地仰着,有如一只鹅。他在公司里是副总经理,常常表现出此种仪态。但在家里也是这副样子,难免有些奇怪。他的姿态分明是他内心的反射——自信得过了头。林娓聪摇摇头,她不明白他有什么地方可值得如此自信的,而且今天的这种自信表现得尤为突出。

　　突然电话铃非常紧急地响了起来,林娓聪不慌不忙地向电话机走了过去。她拿起奶白色的话筒,脑子从容不迫地调整着自己,准备接受电话里传来的信息。但她刚刚发出一声"喂",对方就"啪"一下挂了。

　　"咦?怎么不说话就挂了?"林娓聪握着话筒,疑惑地问。

　　"一定是打错了。"陈名在一旁说。

　　"最近这种打错的电话特别多。"

　　"怎么,经常有吗?"

　　"就是最近几天有。"

　　陈名脑海里划过一丝闪念:难道是向嫒?转念一想没有道理,她这样打骚扰电话来是什么意思呢?她已经不恨他了,她还爱着他,她是不会做不利于他的事情的。

　　当天夜里,凛冽的寒风震撼着树木,发出凄厉的呼啸从树丛里窜出来,掠过树梢,奔突而去。

　　向嫒挂上电话,嘴角现出一丝冷笑:林娓聪,好好享受这些骚扰电话吧。我先给你提个醒,让你怀疑你的丈夫。如果你还是这样木兮兮的,我可要加大力度了,到时候骚扰电话多得让你受不了。陈名不提出离婚,你也会被逼得提出离婚。我这里再对他温存百倍,看你们还能做几日夫妻。

向嫒关上灯准备睡觉,屋子里一灭掉了灯,竟好像沉到深渊里边去了,眼睛里什么也看不见,惟有耳边闪着恐怖的风声。

向嫒吓得发抖,她抱紧双肩缩在被子里,不住发颤。她又冷又怕,她觉得自己的心理有病,而且越来越厉害。而造成这一切的根源,就是陈名。一想到这个名字以及这个名字给她带来的灾难,向嫒的恐惧马上就化成了怨愤。她一把抓起枕头,好像是一把抓起了陈名的罪恶之躯。她用力地打它,但打'他',不过是打在一堆软绵绵的、没有知觉的、毫无反抗能力的棉花上。这个没有骨头、感觉迟钝的东西一无反应。向嫒扔掉枕头,但随即又扑上去,将脸深深地埋进去。凄厉的哭泣声被柔软的枕头盖住了,汹涌的眼泪被高而厚的枕心吸收尽了。

13

　　陈名一早进公司，就被乔先生喊进了他的办公室。他以为有什么工作上的事情要谈，但是看见乔先生的脸阴沉沉的仿佛将起暴风雨的天空一样，就觉得这次谈话的内容很可能与工作无关，而是对他个人的极其不满。而这时，窗外一片灰白的雨云正迅速飘过。于是陈名站在老板面前原本挺直的身躯就有点弯曲哆嗦，那是心里直打鼓的表示。

　　乔先生抬起阴沉沉的眼睛看着陈名说："你结婚都好几个月了，我一直没有对你表示过关心。现在我想表达一下我的关心和歉意。"说着，乔先生掏出一个红包给陈名，"这是我的歉意，晚到的祝福。"

　　陈名正欲推脱，乔先生后面的话已不留空档地紧跟在红包后面："请问新娘子叫什么名字？"

　　陈名的心一紧，他估计乔先生很可能已经知道他是和林娓聪结婚了，如果撒谎对他更加不利，因此老老实实地回答道："她是林娓聪。"

　　乔先生的眉毛像乌云似的皱在一起："这么说来她辞职也是因为你了？"

陈名一时不知该说些什么，只怕说错了话，丢了一个好饭碗。

"你明知道公司的规章制度里有一条是本公司的职员不准谈恋爱，可你身为副总经理却带头违反。"乔先生面无表情地往下说道，"当然，林娓聪的魅力是不可抵挡的，你有本事追到她，我很佩服你。可你既然已经跟她建立了恋爱关系，就应该由你自动离职。可你偏偏让下级的她来替你顶罪，这种做法也太不老爷们了吧?"

陈名说不出话来，但他估计即使他再解释，乔先生也是不能原谅他的。因为从乔先生对此事的关心程度以及同事间的议论可以得知，乔先生非常喜欢林娓聪，而且这种喜欢又是非同寻常的喜欢。自己喜欢的东西被下属横刀夺爱了，对这个情敌一定既不服气又不甘心。

事实上陈名的猜测完全是正确的，乔先生此刻的眼光不停地在陈名周身上下扫掠，曾令他心仪不已又只敢高瞻远瞩的优秀女孩林娓聪，就是被这样一个普普通通的男人给占有了。这个一无巨大财产，二无优越住房，三无特别能力的男人在他的眼皮底下明目张胆地勾引着他的秘书，并且与之隆重结婚了，却把他当个傻子一样瞒了个结结实实，亏他平日里还是这样信任他，怎不令他既伤心又怒气冲天。

陈名看见乔先生戴着一副寒光闪闪的无边眼镜的眼睛在不断扫视他，不禁一颗心像一尾网上的鱼，欢蹦乱跳起来。再被他这样看下去，心都快从嗓子眼里跳出来了。

"你出去吧。"乔先生终于看够了说。

陈名觉得在乔先生的气头上，还是保持沉默的好，要解释的话以后有的是机会。林娓聪不过是一个女人，而他却是乔先生事业上最得力的助手,孰重孰轻,陈名相信乔先生气消后自然会明白。于是他低着头走了出去。

陈名一离开,乔先生马上觉得自己的熊熊怒火被一阵忧郁的雨给浇灭了。他可以感觉到陈名和林娓聪的青春烈火就像夏日的骄阳,炎炎灼灼。陈名虽然不太出挑,但他年轻英俊。他们是两个年轻人,而他,是个半截子埋在黄土中的人。就是这最要命的一点,已使得他与林娓聪之间隔了一个不可逾越的深渊,更别说他有妻有妾有儿了。

乔先生久久地闭目沉思,力图在黑暗中将思路归纳出来。为什么这个消息让他如此痛苦,究竟是他深深地爱上了林娓聪还是他恨陈名违反了他制定的公司规章制度,在他的面前瞒天过海,把他当个傻子一样地来耍?为什么这个消息让他心中充溢着缓缓的钝痛和隐隐的绝望,难道他真的是爱上了林娓聪,而他心中的女神居然嫁给了他的手下,他那不忠不义的手下?

睁开眼睛,他更加痛苦,不单单是因为他得出了这个结论,更因为他恨自己的情意绵绵,这不应该是一个久经商场的人的所作所为。如果一个商人拥有一份文人的情怀的话,他的生意注定不会成功。

一整天,陈名都在乔先生的阴暗脸色中度过,他有一种预感,那就是乔先生的这口气大概永远不会下去了,除非他不在这家公司。一想到这一点,他就感到一种来自现实的恐惧感。他是个有家庭的男人,他不能再有未婚时那种“此处不留爷,自有留爷处”的潇洒气度,他要养家糊口。他的妻子没有工作,不久的将来还会为他添一张嗷嗷待哺的小嘴。这种来自现实的寒风让他的背部一阵发冷一阵抽紧。

向缓又打了一个手机给他，但他把手机给关掉了。俗话说"饥寒起盗心，饱暖思淫欲"，他马上就要失业了，哪里还有心思去和向缓创造什么婚外的浪漫。

他的心情就像乔先生的脸色一样阴沉，就这样一路阴沉着脸到家。林娓聪看见平时像鹅一样昂着头的丈夫，今天的脑袋却出人意料地搭拉了下来，不由惊问一句："你怎么了？"

陈名并不答话，他换了鞋走进来。一眼就看见林娓聪往客厅茶几上的花瓶里插上了大束大束五彩缤纷、昂贵奢侈、摇首弄姿的从暖房里培植出来的鲜花。那色彩沁入他的眼睑里，刺得他的眼睛有些发痛，他的眉头皱了起来："这些花要多少钱？"

林娓聪愣愣地看着他，这不是陈名的一贯作风，他平时花钱大手大脚，都是林娓聪问他花了多少钱，现在反过来了，她感到有些不对劲。

"我们有多少存款？"陈名紧接着问。

"我们结婚时把钱都花光了，现在才过了几个月，能有多少存款？"林娓聪反问道。

陈名往床上一躺，怅怅地叹了一口气。

"你怎么了？"林娓聪坐到他身边，温柔的手掌在他的额头上按了一下，凉凉的，没有热度。

"乔先生知道我的太太是你了，真是没有不透风的墙。"

"那又怎样，事情反正已经过去了。"

陈名看着林娓聪，目光似乎要把她的眼睛刺穿，但是林娓聪的眼睛却睁得更大："为什么用这种眼光看我？"

陈名掉转头，又怅怅地叹了一口气。林娓聪没有错，共事的那些日子以来，他看得清清楚楚，是他的妻子太有吸引力了。想到这样一个人见人爱的女人竟然成为了他的妻子，他原来那种胜者的自豪突然转化成了一种感动，一种柔情。

"你怕乔先生开除你，是吗？"

陈名不置可否。

"那也没什么，"林娓聪站起身来，一边折叠着刚收下来的洗干净的衣服，一边轻描淡写地说，"你可以去找新的工作。在你没有找到新的高薪的工作之前，我愿意和你一起分担困难；如果你找的新工作收入太低，那我愿意把念书的事先搁在一边，继续上班，就像以前一样。"

陈名瞪大了眼睛看着她："难道你会心甘情愿？你嫁给我不就是为了能不上班，在家做自己喜欢做的事情？完成未完的心愿？"

"你错了，我嫁给你是因为爱你。当然，如果能不上班，做我自己喜欢做的事情那更好。但是如果你有困难，我当然要和你一起分担了。因为这个家是我们两个人的，两个人。"林娓聪又重复了一下这三个字，并且用力握了一下陈名的手。

听了林娓聪的一番肺腑之言，陈名惭愧得连头也抬不起来。每天面对这样一个百里挑一的女人，他却在背地里做对不起她的事情。他恨自己，明明已经跟向媛说清楚了，却又要被她的一个电话牵着鼻子滴溜溜地转。

"也许我明天就会失业。"陈名像怕把她碰伤似的匆匆看了她一眼说。

"不要想这些了，吃饭吧。大男人要拿得起，放得下。反正再大的风雨有我和你在一起。"林娓聪盛着饭，一副天塌下来也无所谓的大无畏态度。

陈名在爱林娓聪的同时，也对她深深敬佩起来，他在内心里发誓,再也不和向媛有藕断丝连的关系了,那样太对不起林娓聪,而且对自己来说也没有多大的意思。

香喷喷的米饭上桌了,陈名感到一阵家的温暖。林娓聪原本是不会做家务的,但现在她不但把家搞得井井有条,还学了一手好烹调手艺。有如此好妻子,夫复何求。

吃饭时,陈名的耳中温柔地回响着林娓聪在校园时代写下的一首名为《有一种最美》的诗,一首都能嗅出少女体香的纯情诗篇:

有一种声音/特别的好听/那是小雨点敲击着大地/发出的响声/如歌如诗

有一种画面/特别的好看/那是清晨的初雪/经过一夜的凝积/发出的灼灼白光

有一种感受/特别的动人/那是夏日的轻风/吹进门洞/沁入心脾的凉爽

有一种气味/特别的好闻/那是冬日院里的腊梅/开出黄色的小花/芬芳中就有了暖意

有一种意境/特别的奇妙/那是深秋的林阴道/黄叶铺满了小路/走上去/你就成了一个诗人

14

太阳在平静的世界上升起,万道金光射下来,照耀在这沉寂的巷子里,好像是上天的祝福一般。但这种祝福在向媛看起来,好像是在讥讽她一样。因为她刚刚得出了一个结论——陈名在故意不接她的电话。

向媛看见自己映在镜子里的脸因为仇恨而变得煞白。为什么,难道那个名叫林娓聪的女人就这样魅力无穷吗?让她即使是煞费苦心地去追求陈名,都赢不到他的心。既然这个女人如此有魅力,那为什么陈名在以前还要脚踏两只船呢?

向媛稍稍平息了一下内心的愤慨,把在他们之间发生过的事情又过滤了一遍,重新得出了一个结论。一个在婚前就毫无责任心,无视他人的情感的人,即使结婚后也不会改头换面的。现在他的消沉并不代表他从此就要忠于林娓聪了,而是一定发生了什么意外的事情。他的骨子里一定还是猎艳的,一定不会甘于平淡的。

是不是陈名真的有意外之事发生了,对她来讲也未必是件坏事吧。

那些奇异的念头、阴郁的感触纷至沓来,涌进她的脑海。

114

她开始审视镜子中自己的眼睛,她像在审视什么世间珍品似的凝眸注视镜子里的眼睛。仔细看去,她发现自己的眼睛是那样的深邃而清澈,令人怦然心动。就凭这,难道征服不了他吗?就让我储存好足够的耐心来给他一遍遍地打电话吧。再坚硬的岩石也禁不住滴水没有日夜的侵蚀,何况一块朽木。

她给自己定为每天打一个电话,既不会让人起烦,也不会被人遗忘,恰到好处。

五个日出日落,向媛的嘴角浮现了笑容。

她躺在床上,两手枕在脑后。岁末的一线惨白的阳光从窗口照到破屋子的天花板上,拖着一长条一长条的光线和阴影。向媛的唇边闪过一丝冷笑,陈名缴枪投降了,他被她的"真情"感动得声音都走了调。

月儿还没有上来,青灰而又带着微紫色的云,像海里被风蹙起的浪纹,又像叠皱了的锦被,包裹了青铜色的天宇。陈名和向媛又一次聚在了一起。

向媛从包中取出一只热乎乎的汉堡包塞进陈名的手里:"饿坏了吧?快趁热吃了。"

"我已经吃过晚饭了。"捏着这个又软又温热的物体,陈名显得十分吃惊。

"我当你没有吃过晚饭,特地为你买的。"向媛柔声细语道,还带着一种浅浅的羞涩。

陈名被她这种伟大的无微不至的爱情感动得不知所以,他一把将她揽入怀中,汉堡包受到震动掉到了地上。陈名弯腰捡起,撕开包装纸,大口大口吃起来。

"你不是已经吃过了吗?"见到陈名的表现,向媛为自己的成功而暗暗喝彩。

"我吃的是你的一片诚意。"陈名边咬噬着最后一点汉堡包,边激动地说着。

看见陈名的语调越来越激昂,越来越充满信心,向媛的嘴角出现了一抹较为明显的冷笑。不过夜幕和满腔热忱遮蔽了陈名的眼睛,让他什么都看不到。

十二月的夜晚,天非常黑,天上只隐隐露出两三点星光。黑暗撩动了陈名的情欲,他拥着因为心怀叵测而显得肢体有些僵硬的向媛,来到一家伸手不见五指的咖啡馆。咖啡馆破旧的沙发椅上方悬挂着一盏煤油灯,极微弱的光线看起来就像魔鬼一只眨着的眼睛。

陈名要了一杯啤酒,向媛点了一杯咖啡。陈名的热情像爆发的火山一样无法阻挡,黑暗和酒精,以及从向媛身上传来的处女的清香,令他膨胀得几乎要爆炸了。

向媛微闭着眼睛,一任陈名火热的嘴唇在她冰冷的嘴唇上疯狂地碾过,一任他的汗津津的大手揉搓着她的处女地。她像麻木了一样一动不动,既没有快感,也没有厌恶。有一阵她几乎以为自己已经睡着了,直到陈名的低语在她耳边炸响:"我们去开一间房间好吗?"她才突然惊醒。

"啊,不。"她惊恐地推开陈名,急急地整理自己已经一塌糊涂的外衣和内衣,"我还从来没有过。"

"可你总要有第一次的,你不给我给谁呢? 难道你说爱我都是假的?"陈名焦迫的情绪更加强烈了。

"你不要逼我。"向媛捂着脸,她感到她的戏就要演不下去了。而把她的第一次给欺骗伤害过她的陈名,她是万万不干

116

的。她要留给一直对她忠心耿耿，体贴入微的沈一允。即使她不爱他，也是对他的一腔真情的最好回报。

陈名的声音温柔缓和下来："好，媛。我不逼你，我给你时间。"

向媛仰起一双凄惶无助的眼睛看着陈名，朱唇微启，欲诉还休。

"媛，你想说什么？"陈名托摸着她的下巴柔声问道。

向媛看见陈名一双差点着火的眼睛，此时已经笑吟吟地湿润起来，她的心也放松下来："我们这样不是很好吗？两情相悦。为什么一定要像俗人一样去干那些肮脏的事情呢？"

"你怎么认为那是肮脏的事情呢？那是最神圣最美妙的事情。"

"如果真是神圣和美妙的，那也是要等到结婚的那一天。"

"你是说想和我结婚？"陈名吃惊道，同时感到一种负担。

陈名的反应再一次刺伤了向媛的心，但她强露笑颜说："我爱你，所以决不会勉强你的。我只想就和你这样一直纯洁地好下去。"

陈名松了一口气，但同时又感到一种失落。

向媛抬手看着腕上的手表，无奈光线太暗，使劲看了半天也没有看出是几点来。

"这就想走了？"陈名不满地问，心中在问自己：她是在逃避与我的肉体接触吗？

"现在几点了？我妈妈规定我每天最晚不能超过十二点回家，不然可就麻烦了。她可是个又顽固又守旧的老太太。"向媛显得有些心烦意乱。

"而且还很愚蠢。女儿要学坏，要做坏事，难道在十二点

117

以前就不能做吗?"陈名讥诮地补充道。

"唉,老人家都是这样的。现在到底是几点了?"向媛说。她感到此时已没了向她撒娇的氛围。

向媛的情绪也感染了陈名,他感到已经没了与她取笑的趣味。他打开手机看了一下说:"现在是十一点钟。"

"已经十一点钟了?"向媛喃喃地道。他们竟然在这个乌黑的场所缠磨了三个小时,也就是说她纯洁的肉体竟然被这个可恶的男人玷污了整整三个小时,而她却无知无觉。她真的是堕落了,哪怕虽然守住这最后一道关口,也已经是堕落了。

陈名却误解了她这句话的意思:"打车回家只要十几分钟就可以了,我们可以再坐一会。"

向媛注视着他,他这样说是表示对她的依恋吗?既然依恋,又为什么要一而再,再而三地欺骗她?换个角度想一想,他把他的妻子放在了什么位置?和另一个女人依依不舍,难道夫妻情分就这样脆弱吗?看他此时正故意做出淡淡的微笑以掩饰他的残酷,他的冷酷无情。向媛的喉头就像哽着一只死苍蝇一样。

陈名的身体又和她的身体紧贴在一起了,她的耳边是他的忏悔,他的爱慕和思恋。但这些都无法打动向媛,在向媛听起来,这个伪君子不过是在背诵一些堆砌得毫无技巧的语言,仅仅是一些内容空洞的呓语。

突然,陈名的动作和语言都停止了,因为他看见一向来素面朝天的向媛竟然化了浓妆。她那合上的眼睛,即使在黑暗中,依然可以看出睫眉深黛,就像是半睁半闭的黑眸子。

陈名突然停止了动作,令向媛惊奇地睁开眼睛。

118

"你化妆了？你说过最讨厌化妆的。"

向媛淡淡地一笑："士为知己者死,女为悦己者容。"

"可你的长相和气质实在不适合化妆,特别是化浓妆。"

"那林娓聪呢?"向媛总在有意无意之间在与林娓聪做着比较,这个击败她的对手,究竟是个怎样的女孩子?

"她偶尔也会化化妆,不过都是淡妆。"

也许是觉得今天的约会已经尽兴了,也许是时间真的不多了,向媛喝干杯中最后一口饮料说:"我们走吧。"

"好吧,小姐结账。"当陈名付上六十元现金时,感到有些心疼,和向媛出来约会一次,总要浪费一些钱,实质上的东西却不曾得到过一点。陈名原本不是一个小气的人,但养家餬口的艰辛和工作的岌岌可危让他把钱看得一天比一天重。

走进夜色中,陈名再一次端详了一下向媛的脸,然后说:"不要在你的美貌中掺上俗气,不然它会糟蹋你的形象。"

向媛带着迷蒙的眼神说:"我做这一切都为了你。"

陈名大受感动,同时一种深深的自信涌上心头,他给了她一个比火焰还热,比蜜还甜的吻。

向媛苦笑了一下,默默地说:你为什么要比任何时候都表现得激情?难道你不知道我们感情的桅杆已经倾斜,我们爱情的方向早已南辕北辙?

陈名凝视着她,由于不幸,向媛变得更加纤秀了,在某种程度上变得不易为人了解了。这就使她本身的魅力增加了,也让陈名渐渐真爱上了她。年轻的向媛给陈名一个青春年华的印象。而且她又是这样会穿着,每一个时期都能穿出不同的意味来。此时她的那件饰有金箔片的淡紫色长袍,在长长的褶皱里包含着一种近乎忧郁的韵致。

"你这件衣服很漂亮,看来不便宜,你怎么舍得买? 而且看起来还是新的。"

这件衣服是沈一允送的,想到他,向媛一阵心酸:我这是在干吗呀。

"对不起,太晚了,妈妈要骂的。再见。"向媛说完,就赶紧快步跑开了。就在她转身的那一刹那,眼泪已经滚落下来。

陈名痴痴地看着她飞快地奔上了一部公共汽车,她那美丽的淡紫色长袍,飘飘然地隐现在车上的人群中。

陈名已经好久没有这样晚归了,林娓聪从吃过晚饭后就一直趴在北窗口等他。好在今夜不很冷,所以她能坚持几小时不动身。

午夜时,起了雾,那浓浓的游动的雾气,把视力可及的范围内的实体都遮得严严实实的。可是那些路灯和各种建筑物的窗口里透出的灯光却顽强地刺穿着浓雾,飘飘忽忽的,朦朦胧胧的,有着平常冬夜中所没有的别种风情。

突然,她看见了陈名的影子。虽然很模糊,但爱人的直觉是灵敏的。她忘情地喊起来:"陈名……"

陈名也看见了她,加快了回家的步伐。

林娓聪跳下来,飞速奔到门口,恭迎丈夫进门。

浑身冰冷的陈名一把抱起同样浑身冰冷的林娓聪走进屋子,边走边问:"这么晚了,还在窗口等我? 你看,全身都没有热气了。"

"我已经习惯了每晚和你一起共进晚餐,突然又晚回家了,还真不习惯。"

陈名放下林娓聪,愧疚使他一下子没了力气。

"我去给你放洗澡水。"林娓聪说着,已经像一只云雀一样快活地飞进了卫生间。

啊,可她还偏偏这样贤惠。

在整个洗澡的过程中,陈名都在为难,一个是情深意重,一个是全心全意,他能对不起谁呢?如果能一直维持现状,那固然是好的,但他相信向媛不会仅仅满足于此的,她一定渴望得到全部的他。而他又怎么可能离开林娓聪呢?这样一个好妻子。如果要放弃,也只能是向媛。这是他擦干身体后得出的结论。

当他来到卧室,看见昏黄的壁灯下,躲在被子中的朦胧隐约的林娓聪,刚才被向媛挑起的情欲又复苏了,而且有过之而无不及。因为这毕竟是比刚才那一个要漂亮得多的女性,男人总是最注重视觉印象的。

陈名像一头狼一样地扑了过去,每次想要作爱时,他都会像一头狼。他总是在这时让林娓聪感到害怕,她想他其实应该找一个性欲旺盛的女人当老婆才匹配。婚前林娓聪能在陈名身上找到肉欲的快感,但婚后陈名那差不多毫无节制的旺盛生命力却让她对男欢女爱感到恐惧。但她又不能拒绝他,因为每次拒绝,都能引发一场毫无理由的战争。直到她妥协,他才会恢复羊羔一样的温柔。

陈名不顾一切地发泄着,林娓聪忍着撕裂般的疼痛默默承受着,这比她与人初交时还要疼上好几倍,她不明白为什么他今天会比往常还要厉害几分。她咬紧牙关坚持着,到最后,她实在忍无可忍地叫喊了起来。但她的叫声被陈名误认为是高潮的来临,于是他也受到感染地一泻如注。

林娓聪像死尸一样地躺在床上,即使陈名已经离开了她的身体,她还是疼痛不已。但她不能将自己的真实感受告诉陈名,这样他会失望的。她爱他,她不愿他难过。

陈名心满意足地吻着她的嘴唇,问道:"亲爱的。刚才你快乐吗?"

林娓聪虚弱地点了点头,给他一个微笑。

陈名满足地叹了一口气:"啊,结婚真好。"

对陈名来说,结婚最大的好处就是想什么时候作爱就可以什么时候作爱,作完之后,还可以抱着一个香喷喷的身体睡觉。他为自己曾有过一段对婚姻的恐慌时期而感到可笑。单身固然自由,但结婚带给人的感官快活以及小家庭的温馨,又岂是单身生活可以比得的?

"我那个东西已经过时十天了,不会是怀孕了吧?"林娓聪突然说。

陈名也一愣:"不会吧,你以前也经常拖后的。"

"如果是呢? 要不要打掉?"

"为什么要打掉? 难道你不喜欢小孩子,你欣赏那种丁克家庭?"陈名吃惊道。

林娓聪轻轻叹了一口气:"我怎么能不喜欢自己的孩子呢? 只是不想现在就有罢了。也许过两年,我们的生活稳定了,也有了一点积蓄,这时候再要小孩才是最明智的。"

陈名知道林娓聪是在指自己的工作朝不保夕,是啊,现在乔先生又招进来一个副总经理,他的目的是要他走,而他新的工作还没有找到。想到这里,陈名一阵心烦也一阵恐惧。他在心里默默祈祷,老天保佑,要么让自己的工作顺顺利利,要么不要这么快就赐给我们一个娇儿。

"过两天去买张'早早孕测试纸'吧,不要胡思乱想了。太晚了，睡吧。"陈名伸手关上了壁灯，屋子里顷刻漆黑一片。

"如果真的有小孩了怎么办?"林娓聪在黑暗中又追问一句。

"只要天没塌下来，就生下来。"陈名斩钉截铁地说，但话语里明显底气不足。

林娓聪挂着醉人的笑依偎着他，她感到他十分强壮，很有安全感。陈名身上发出的温暖气息，很快就像暖风一样，将她醉熏熏地引入了梦乡。

15

　　"不行,追债的事情应该由你去做。你不是很想在老板面前表现一下自己吗? 这正好是个机会。"陈名直视这个新来的副总经理,嘴角挂着揶揄的微笑说。本来他并不反感到广西这个穷乡僻壤的地方去讨债,但由这个新来的副总经理来指派他,他就决不甘愿了。

　　"这不是我的意思,是老板的决定。你该不会违拗老板的命令吧? 除非你不想干了。"新副总经理裴融脸上挂着一痕冷笑说。

　　陈名感到自己是伸出脖子去,挨了一记冷冰冰软绵绵的耳光一样。这个新来的家伙已经一天天地爬上他的脖子,在上面肆无忌惮地拉屎拉尿了。他开始还猜不透原因,现在他的这句"除非你不想干了"似乎道出了点什么,莫非乔先生对他说过要俟机解雇自己? 看裴融此时正带着一脸凶险的志满意得的神情盯着自己,陈名的心霎时凉了半截。

　　"是乔先生让你对我说的?"

　　"除了他,还会有谁?"裴融狞笑着说,他的眼睛里流露出贪婪、阴险和残忍。他知道对手害怕失去这个高薪的工作,自从掌握了陈名这一致命的弱点,他便仿佛拿住了对方的命门要穴。陈名在他的盯视下,不由得呼吸急促起来。

"我去找他。"陈名采取了懦弱的逃避手法,回身朝乔先生的办公室走去。他的背脊都能感觉到裴融那犀利的目光,就像一道无形的光能把他身体内的旮旯都照到。

敲开乔先生的门,首先接触到乔先生一双阴冷的眼睛。陈名心中一抖,随即定了定神问:"去广西出差的事情是乔先生的意思吗?"

"有什么问题吗?"乔先生的声音同样阴冷。

陈名掌握着说话的分寸道:"这是一件大事,应该由乔先生亲自对我说才对。万一裴融转达有误,不是要误事吗?"

"裴融不是在转达,这本来就是他的提议。"

"他有什么资格?"陈名失声叫了起来,"我们是平级的,而且我的资历也比他老,他也太目中无人了。乔先生怎么会器重一个这样不可一世、自以为是的小人?"

"裴融是我在其他大公司千方百计挖过来的,他是个不可多得的人才。你不要因为自己在本公司呆的时间长就摆老资格,你应该好好向他学习,这才是你应该做的事。"

乔先生的声音不急不慢,四平八稳,却让陈名的舌头突然在嘴里觉得发干,他的头脑感到一阵可怕的昏乱。

"还有,下个月工资要进行一下调整。你减薪百分之四十,裴融加薪百分之三十。"

陈名的头一下子炸开了,乔先生和裴融是那样急切,又带着诡秘的神情,这使他明白这里面必定包藏了某种他识不破的隐秘。这究竟是为什么? 难道是因为林娓聪? 乔先生暗恋的林娓聪被他偷走了。看来他被迫离开这家公司,已是早晚

125

的问题了。也许是今天，也许是明天，但最迟不会超过一个月。因为他已经成了乔先生的眼中钉，早一点晚一点都要被拔去。裴融不过是乔先生用来对付他的一枚棋子罢了。

他是公司的开国元老，并且业绩斐然，他的离去，一定会造成公司的损失。他不知道乔先生明白不明白这一点，为了一个虚无缥缈的女人，他竟然连江山都不顾了。

"乔先生是希望我换家公司了？"

"哦？我可没这么说过。不过你既然已经这样提出来了，想必已经找到更好的地方了。我能够理解，一切事物都有自己的开端和终结。好在我这里有裴融，你也可以不必费心为公司多做考虑了。不过念在你是我招进来的第一批职员的份上，我会多发给你几个月的薪水的。"

陈名这时极力忍耐着眼角涌上的泪水："那就烦请您尽快让会计结清我的账。我的时间是宝贵的。"丢下这句话，他走了出去。

外面的大办公室里充满了裴融的尖锐的声音和他闪闪发光的双眼射出的光芒。这是一种非人的煎熬，陈名犹如一个身处大海中央的溺水者，急于想抓住一块岩石。乔先生的话是这样富有哲理：一切事物都有自己的开端和终结。和林娓聪的开端就意味着工作的终结。林娓聪啊林娓聪。陈名默默叫着妻子的名字，这个时候他感到妻子就是那块惟一可以攀缘的岩石。

接通妻子的电话时，陈名的视线正停留在窗外的天空中，天上片片零落的野云，恰似他被割碎了的心，在渺茫中飞舞。于是他的话语中便带了明显的梗塞。

听了丈夫的诉说，林娓聪的鼻尖有些发酸："对不起，都是我不好,不能替你分担家庭的重担。你还是快些辞职了吧,与其在环境的桎梏里煎熬,还不如冲破它的樊篱。别死撑了,上次你的朋友秦行让你和他一起干,我觉得这主意不错。他有现成的公司,你手头有许多客户,你们合起来做生意一定会好的。不要为'台巴子'卖命了,出来自己干吧。"

听了林娓聪的一番话,陈名心情一阵舒畅。这或许真是个好主意,自己当老板虽说压力比打工大,但俗话说'宁做鸡头,不当凤尾'。再说,跳出来后发财也说不定呢。还是妻子有主见有胆识啊,他在心里深深佩服起林娓聪的果断和勇敢来。她就仿佛是世界上的和谐的神圣的中心,此时陈名心里只有她一个人,其余的什么向媛和裴融等人都消失在她的光芒里。

但是在电话的那头,林娓聪那双睁得大大的眼睛里却满是泪水和微光。她之所以这么说,是不忍心看见丈夫被乔先生折磨。而丈夫辞职后与朋友合伙干,前途还是个未知数呢。更让人为难的是在她的腹中,一个小生命正在萌芽。她爱这个小生命也爱丈夫,她决定既不去打胎也不把怀孕的事情告诉陈名,等一切都成定局时,再将他们即将为人父母的事情公开出来。而这需要多大的决心和耐力啊。

既然怀孕就不可能出去找工作了,念书就更是奢侈的事情。有好几次林娓聪有过打胎的冲动,但强烈的母爱让她决定牺牲自己——不管什么情况,这个孩子一定要出生。可是经济怎么办呢?挖空心思中,突然灵机一动,现在不是正流行SOHO吗?这是英语 small office home office 的简称,翻成中文就是在家办公。随着互联网的普及,适合 SOHO 的工作种类很多。她曾经在一家外资企业搞过信息咨询,因为老板对她心怀不轨而不得不辞职。现在在家里不妨凭借娴熟的电脑技术关起门来做 SOHO。

当陈名领着当月工资和多给的两个月薪水回到家来时，林娓聪明白他们和乔先生之间的关系已经彻底解除了。她把陈名领到电脑前，告诉他自己的想法。给他看自己通过互联网在搞信息咨询和网页设计，他们的新房是她的一个自产自销的"小作坊"。

陈名百感交集，一面感于前途的未知和艰险，一面感于林娓聪的牺牲精神和拼搏毅力。在这一刻，他决定从此要好好待她，彻底与向媛断绝往来。他们流着泪，互相定睛地注视着。在这个注视里面，他们的灵魂第一次真正拥抱在一起了。

冷冷的冬夜，小屋里温馨而又甜蜜，虽然免不了透出一股苦涩的哀伤，但青年人的世界里，朝气永远存在于有形和无形之间。

陈名觉得今天林娓聪特别美，她的美使得他感到了悲剧性的战栗，这种战栗加深了他的内疚之感："聪聪，我对不起你。"这声对不起的涵义是双重的，但在林娓聪听来，它只有一个意思。"这算什么？我嫁给你，从来也没有想过会一辈子靠在你身上，去干一些华而不实的事情。我一直都认为，家才是最主要的。"

林娓聪的这番肺腑之言，让陈名全身被爱的潮水拍打得暖洋洋的。

林娓聪从北窗台上端过来一盆盛开的梅花："你看，今天梅花开了。应该是个好兆头，梅花寓意着苦尽甘来。"

梅花盆景端在林娓聪的手上，树枝造型奇特，花朵娇艳美丽，这还是陈名刚认识林娓聪的那个冬天找借口送给她的呢，因为这是她最喜欢的花。经过一年的呵护细养,梅花竟然这样生机勃勃了。再抬眼看花的女主人,脸色也像梅花那样白里透出点淡淡的红色。

陈名满眼都是美丽景致,美中不足的是林娓聪的那句话:梅花寓意苦尽甘来。苦什么?现在他还感觉不到什么苦,难道在今后的日子里会发生什么,让他苦不堪言?他的心一悸动。他不知道从何时起,自己竟变得这样敏感了。

"不经一番寒彻骨,哪得梅花扑鼻香。"陈名喃喃而道。

"啊,我们的文盲现在也会吟诗了?"林娓聪打趣道。令陈名感到仿佛又回到了恋爱时分,那时他是多么爱她,在乎她啊。

往昔时光的回味让陈名忘却了不愉快的预感,面前站立着的穿着一身粉红色棉质睡衣的林娓聪娇艳美丽,楚楚动人,比起梅花来有过之而无不及。陈名一把抱过温软的妻子,感到好像有一股暖流穿过夜空,越过整个严冬的城市倾注在他的心头。他仔仔细细地端详着她,结婚数月,她出落得越发漂亮了,宛如雨后的月亮一般澄明。陈名发现自己又不由自主地膨胀坚硬起来,而且空前的厉害。

林娓聪看见陈名像大山一样朝她倒下来,那股疯狂的劲儿超过了以往的任何一次。她感到害怕,因为她想到了肚子里的那个小生命。脆弱的胚芽,怎禁得住狂风暴雨的摧残?

"别这样,别这样。"林娓聪推开紧贴着她乳房的陈名的脸。

"你美得像天使,坏得像魔鬼。"陈名转而将脸贴住林娓聪的脸,兀自痴语着,"难道你不是我的妻子吗?你不让我行使做丈夫的主权?"

林娓聪见他依旧在一步步地得逞,并且越来越狂热,越来越失去理智,强烈的母爱促使她违背自许的诺言,大声说道:"你别压坏了小宝宝,我已经怀孕了。"

　　犹如一声炸雷,陈名登时清醒,他的眼睛睁得滚圆,一只手捂住胸口:"是真的? 你去验过了?"

　　林娓聪无奈地点点头,笑得那么歉意。

　　陈名紧咬着嘴唇,压抑着激烈的兴奋,低声地质问她:"为什么不早告诉我? 我警告你,伤害了我的儿子,我可不饶你。"

　　"你要这个非常时期到来的孩子? 你不要求我去打胎?"林娓聪又惊又喜又感动。

　　"当然了,我已经三十多岁了,我渴望当父亲。我同学的小孩都上小学了。"

　　林娓聪露出了蜜糖一样甜美的笑魇。

　　看见这个媚态百生的笑容,陈名刚刚被扑灭的欲火重新被点燃起来了。这让他心头一咯噔——难道将有一年左右的时间不能过性生活了吗? 这对一个处于性欲旺盛期的男人来说,不比下地狱还要折磨人吗?

　　林娓聪似乎看出了他的心思,半是害羞半是认真地说:"来吧,小心点。"

　　"会对小宝宝不好的。"

　　林娓聪没想到性格粗糙的陈名还有这样一颗拳拳爱子之心,这应该是个有责任心的男人吧? 林娓聪感到无比宽慰。

　　陈名抚摩着林娓聪平坦的肚子,把头轻轻靠上去,他听到一阵阵"咕咕咕"的响声。

　　"咳,我们的儿子在说话。"

　　"那是我的肠子在蠕动吧?"

"哎,你这个念文科的人怎么这样粗俗? 一点想象力也没有。"

林娓聪露出一个陶醉的笑容,她细长的手指在陈名浓密的黑发中穿梭:"那好吧,你听见宝贝说什么了?"

陈名煞有介事地仔细听了听,然后一脸严肃地说:"儿子在警告我:'爸爸,从现在开始不许你欺负妈妈,不要压坏了我,不要用棍子来打我,不要朝我吐唾沫。'"

林娓聪把肚子都笑疼了,她满脸通红,不知是害羞的还是笑的。

"别猛笑,小心流产。"陈名紧张起来。

林娓聪止住笑:"以前可看不出你这样喜欢小孩子,结婚后你也从不打算很快就要孩子的。"

"我本来是不想很快就要小孩的,但一旦来了,我也不知道怎么就那么喜欢。"陈名实话实说道。

"可是像你这样一个下流胚,真能做到禁欲吗? 你会不会去找情人或是野鸡?"林娓聪突然担心起来,"其实只要注意一点,用不着禁欲的,很多人都不管的。"

陈名搂住她的肩膀:"为了儿子,牺牲一点怕什么? 放心吧,我不会做对不起你们母子的事情的。"

或许是吧。林娓聪心想,她抬起头问:"你怎么总是儿子儿子的,为什么就不是女儿?"

"啊,对了,我最喜欢女儿了。可不知怎么说着说着就说成儿子了。"

"贫嘴。"林娓聪用手指头戳了一下陈名的额头。其实她心里很清楚,陈名是希望她生儿子的,他们全家都指望着她为陈家续香火呢。想到这里,林娓聪感到心情有些沉重,她将担负着传宗接代、养家糊口的双重压力。

陈名也有双重压力,那就是养家糊口、肉欲无法排遣。夫妻俩至少有 50%的担忧是相同的,他们的婚姻就已经上了合格线。

半夜里,陈名梦见自己在冰冷的海水里游泳,终于被冻醒了。清醒过来才发现自己遗了一裤子的精,都已经冰凉了。

四处都被漆黑的夜色笼罩,只有远处轰隆轰隆的闷雷声偶尔搅扰那万籁无声的寂静。他努力望了望身边熟睡中的妻子,只看得见一个模糊的影子。他急促地吁出一口气来,起身去洗了个热水澡。

16

林娓聪怀孕了。

这是刚才与陈名在电话里通话得知的消息。放下电话，向媛本来愉悦的心情一下子莫名其妙地黯淡下来。其实这个消息对于她的整个计划并没有什么影响，说不定林娓聪怀孕后变丑了，更有利于陈名疏远这个大肚子的已经没有形象的女人。因为她输给林娓聪，性格虽然是一个方面，但根源还是在于容貌上的高低。虽说如此，但向媛的情绪就是这样没来由地惨然下来。她取出钥匙打开写字台抽屉的锁，那里藏着一本厚厚的日记本。从认识陈名的第一天起开始记日记，到戳穿陈名的骗局而结束，一天不落，已经黑压压地快写满了。她一直不舍得销毁它，也一直不敢打开这个抽屉，像担心触痛伤口一样避免接触它。但此刻她平静地打开了抽屉，取出了她初恋的情和爱。

她像捧着一颗红心那样捧着这本精美的本子，来到厨房，打开煤气，将整本日记投入火中。她沉郁地凝视着它，黄色的火焰就好像群魔的长舌一样不断地舔啮，从日记本的四周向中央席卷，从精美的封面向内页延伸，不多久就把她的心血吞尽了,只余下一堆黑糊糊的焦尸在那里。

"喂,谁家失火了?"

一阵粗鲁沙哑的嗓音从窗外惊心动魄地传来。沉浸在麻木痛苦中的向媛突然醒悟过来,她看见一股黑黑的浓烟从煤气灶台朝窗口飞去。

她扑到窗口,因为动作太猛,一只棉拖鞋飞到了桌上的菜碟里,她顾不得许多,把头探出窗外:"张家姆妈,是我在烧东西,不是失火。"

"小姑娘,你不要吓人哟。烧什么东西?烟这样大。当心点,不要真着火了。"

望着张家姆妈那张好事的俗脸,向媛尴尬地笑了一下。但她越是困窘地望着她,张家姆妈就越是不住口地逼问:"你到底在烧什么东西?你姆妈在家吗?"

向媛的脸上涔涔冒出汗珠,张家姆妈会将这件事告诉妈妈吗?如果妈妈知道了,天知道她会怎样来盘问她,那她如果不编个像样的谎言,母亲是绝对不会轻易放过她的。而母亲又是一个极不好骗的人。

张家姆妈的语气犀利起来:"你在家乱烧东西,你姆妈知道吗?"

恐慌被愤怒所代替,这个小市民的老女人,只因为她的温软,就可以将她像小孩子一样盘问呵责吗?因为张家姆妈这样没来由地挑战了,向媛也不得不露出自己的锋芒,温柔的眼睛里也带上了一些敌意。"这是我的家,我想怎样就怎样,我姆妈不管这些无聊的事情。"

张家姆妈见向媛态度强硬起来,感到有些惊奇,随即气焰低了下来:"我不是在批评你,我是在提醒你做事小心一点,没

134

事就好了。"

"谢谢张家姆妈的关心。"

张家姆妈被向嫒的这种宽宏大量,同时也被她的这种存心藐视的态度弄得连气也透不出。挂着一脸讪笑,扭动着肥大的屁股走了。

向嫒舒出一口气,赶紧收拾起日记本的残骸,随着抽水马桶"轰"的一响,一切都过去了。

走出卫生间,向嫒看见小窗上的日影已经倾斜而偏低了。她周身无力地倒坐在窗下的一把破椅子上,在浮动着还残留着烧纸味的房间里,她的心开始无端地膨胀、颤抖、摇摆、针刺般地痛。这种痛演化到后来竟成了一股恶毒的快意:陈名快下班了吧? 今天不妨约这个准爸爸出来吃顿晚饭,让那个找错了男人的女人在妊娠反应中孤寂而又痛苦地捱着日子。

夕阳垂垂西沉时,陈名办公桌上的电话铃响了。

"亲爱的,你是不是快下班了?"她用柔得几乎肉麻的嗓音对着话筒问。

"是向嫒啊。"陈名望望天寒日暮的窗外说:"这是我自己的公司,下不下班由我自己定。"

"这可不行,正因为是自己的公司,才应该有一套严格的规章制度,自己得首先以身作则,这才能使公司正规化嘛。"

陈名心服口服,频频点头道:"向嫒,谢谢你的提醒。现在刚开始,一切都那么乱。真烦人呢。"

"会好起来的,你是有能力的。"

"谢谢你。"

"今晚能出来吗?"

"今晚?"陈名为难地皱起眉头:"林娓聪这几天反应很厉

害,我想早些回去陪陪她。过两天我们再见面好吗?"

"你真关心她啊。"向媛含着幽怨的妒羡说。

"我觉得挺对不住她的,本来许诺结婚后让她安安静静地在家念书学钢琴的。可现在我混成这个样子,让她怀孕了还要整天坐在电脑前面为这个家赚钱。"

"你对不住她,难道你就对得住我了吗?"

陈名一楞,自从向媛主动求和以来,一直都是以小绵羊的姿态出现的。但现在她流露出这样强烈的感情——怨恨里夹杂着无限的鄙夷,这还是第一次。

"我以为你已经不再记恨我了。"

"只要你对我好,我就不记恨你。可是就连我这样一个想见你一面的小小要求,你都要拒绝。我在你的心目中到底占什么样的位置,大概连小猫小狗都不如吧?"

陈名再一次将目光投向窗外,夕阳西落,衬着满天的红光,这满天红光让他激动起来:"媛,别这样说,我是喜欢你的,我只是在可怜林娓聪。对,是可怜,不是爱。我其实还是爱你呀。"

向媛满足地笑了一下:"那就请你也可怜可怜我吧,我今天真的好想你。"

"好吧。一会儿我来接你,你还在学校吗?"

向媛已经基本办妥了辞职手续,她有好多天都没有去学校了。"不,我已经下班了,现在在家里。这样吧,我们还在老地方等吧。六点钟,不见不散。"

听见陈名也说完"不见不散"后,向媛得意地放下了电话。林娓聪,现在妊娠反应一定使你变丑了吧,接下去随着肚子也挺起来,你会越来越没样子的。到时候陈名就会嫌弃你,而我一天比一天漂亮,到时候只要我提出要他与你离婚,他一定不会犹豫的。这也算是天助我也。向媛为自己的如意算盘高兴地笑起来。

对着穿衣镜,向媛细细打扮起来。失恋和失业的悲剧意外地给她平添了一层奇异的光辉,一种神秘的魅力。现在的她不但比以前光彩照人,而且也更加惹人怜爱了。

顾影自怜、自怨自艾了一番后,向媛看看时间尚早,母亲在阿姨家还没有回来。她穿着衣服倒头躺在床上。空气十分沉闷,一点动荡的气息也没有,时间一分一秒地静静流逝。在床上,向媛看见窗帘上方还留有一线光亮。但不多一会,这一线光亮也渐渐暗淡下去,越来越细,她就这样让这个时刻在窗帘上方逝去。

在这段时间里,向媛把她和陈名之间的事情作为一种纯粹的可能性加以分析,分析时将感情因素从尽可能大的范围彻底剔除。得到的结论依然是要报复,报复这个负心的伪君子。

向媛用手痛苦地蒙住双眼,是他,是他让她的整个生活都笼罩上一层阴霾,他必须为此付出惨重的代价。

出门的时候,夜色已经降临,微风吹拂在她裸露的脖子上,使她全身哆嗦。是坐车还是走路呢? 向媛犹豫了,确实这段路没有公交车可以乘坐,走过去有些远,打的又有些奢侈,正是那种所谓尴里尴尬的距离。

向媛使劲地盯住地面,两只眼睛气得淌出眼泪来。都是为了和你演这出戏,害得我现在经受着天寒地冻。如果我身上燃烧着爱情的烈焰,那这点冷也算不得什么。可爱情之火早已被你扑灭,受伤的心灵,怎禁得住严冬的寒风。可恨的男人,你把我心里隐藏的彩虹般的美好希望都粉碎了。向媛禁不住号啕大哭起来,心中的恨和委屈一泻而出。

当她到达目的地时,陈名已经等了好大一会了,寒风把他的鼻子都吹红了,嘴唇也冻紫了。见到这个场面,向媛的心情突然愉快起来,刚才的眼泪没有白流,老天已经替她处罚过他了。

"你怎么才来? 你又不坐公共汽车,走路也会迟到?"见到她,陈名抱怨道。

真是个没涵养的臭男人,向媛心想。她又想到了沈一允,无论她迟到多久,他都是笑眯眯的,彬彬有礼的。她在心中叹了一口气。

"我们现在去哪? 总得找个地方进去,不能大冷天在马路上逛吧?"陈名接下去说,然后像是自言自语地说:"今天可真冷啊。"

"那就回去好了。"向媛说着,调头就走,她感到自己连演戏的兴致都没有了。如果陈名不追上来的话,她几乎想放弃报复计划了,就此回到沈一允的怀抱中,幸福安详地过完下半生。

可是陈名偏偏迅速追上来了,而且赔着一脸笑容:"我是随便说说的,你怎么这么小心眼,当真了呢? 看见你,再冷的天都觉得很温暖的。"

向媛被陈名拥在怀中,她的眼神冷冷地看着他:是你自己要找死的,那就怪不得我了。

"你今天穿得很漂亮,这点我很佩服你,你的装束总是能很巧妙地衬托出你的特色。"

陈名恭维的话并没有使向媛感到高兴,她不耐烦地打断

138

话头说:"讲得再好听也填不饱肚子,我们还是先去吃饭吧。"

"好,我们去吃'麦当劳'。"

"吃匹萨饼吧,麦当劳我吃腻了,今天换换口味,那儿的环境好像比麦当劳还好。"

陈名的心一抽,啊,那儿的开销要比麦当劳大多了,每次都这样坏'分',实际好处却一点也捞不到。林娓聪现在怀孕了,他们的性事大幅度减少,而且每次也都不能尽兴,他一定要在向媛的身上把损失给捞回来。

在必胜客的餐厅里,玻璃门上巧妙地悬挂着两个风铃,随着开门关门,发出悦耳的声音,同餐厅里播放的维瓦尔迪的音乐奇妙地混合在一起,听起来倒也舒服。

"这里的环境真的不错,要不是你不喜欢,我真想一直坐到我们分手。"向媛挂着惬意的微笑说。

"你知道我喜欢去哪里?"

"咖啡馆。"

"不是这样的,我喜欢去能让我们真正结合在一起的地方。"

向媛躲避着他此时看起来有些吓人的眼光:"我是第一次,你能对我负责吗?"

"我能。"

"你怎么个负责法?"向媛看着他的眼睛问。

"你是想叫我离婚对不对?"

"我从来就没有叫你离过婚,决定权在你自己手中。"

陈名一把握住她的手,抓得她有些生疼:"如果你真心爱我,我就离婚。"

陈名的粗鲁野蛮的外貌和满含昏暗的火花的眼神使向媛

惊奇,难道欲望可以让一个人的面目变得如此可怕吗?

"如果你真的离婚了,我马上给你。"

"可离婚是需要时间的,而且法律规定在妇女的怀孕期和哺乳期是不允许离婚的。媛,你知道你是多么诱人吗? 不要再折磨我了。"

向媛的心中虽然不无惊悸,然而却另有一番甜滋滋的幸灾乐祸的感觉。

"你要我怎么相信你? 你已经骗过我一回了。你真有诚意和我在一起,要么你有足够的耐心等林娓聪度过哺乳期再向我提出这样的非分要求,要么你现在就让她去打胎。"

陈名的眼睛对她射出一股电光:"你如果真心爱我就不会这样折磨我,感情是靠培养出来的,不是靠要挟的。说到底你还是要我离婚和你结婚,两个人在一起时间久了,感情自然浑厚,到时候你即使不说,我也会提出和你结婚。你为什么现在这样苦苦相逼?"

听了这话,向媛不禁怒从心头起,恶向胆边生:"是你在苦苦逼我献出少女的贞操,我以为两个人在一起像好朋友那样的交往不是也能培养感情的吗? 而你却总是往那些龌龊的地方去想。"

"好好,我龌龊,你纯洁,我们道不同不相为谋。今天就算是我们的最后一顿晚餐吧。"

听了这话,向媛惊呆了,刚才还这样渴求她,怎么说翻脸就翻脸了? 对男人她真的是解不透。就这样算了? 她不会这样便宜他的。

"你这样绝情?"

"不是我绝情,是你绝情!"陈名吼道。

向媛的全身都表现出一种胆怯,当然这是伪装出来的。聪明的女人常在一些细小的事情上施展出巧妙手法来表现她们的胆怯,正像男人想尽办法掩饰自己的胆怯一样。

向媛的神态让陈名意识到自己实在是太冲动了,他歉意地说:"对不起,我不应该朝你发火,你是个纯洁的好女孩,你不能为我破例。可能是最近一段时间事情太多了,才使我的脾气变得这样暴躁。你能原谅我吗?"

见自己又轻而易举地获得了成功,向媛发出了肺腑中的笑说:"你的脾气就是这样的,我理解你。也谢谢你理解我。"

和解了的陈名觉得此刻浑身一点激情也没有了,他只想回去睡觉:"我送你回家吧,下次再约时间出来。"

"回家?"向媛立时心如鹿撞,难道男人不能和女人保持肉体上的接触就会索然无趣?照这么说,她的计划就没有成功的可能性了。她本以为只要给男人一点小小的甜头尝,就能吊住男人的心,看来她是错了。"还这样早。你难道不想和我多呆一会儿吗?"

向媛温柔的眼神好比浮在水上的蓝色睡莲,飘忽的表情赛过野蔷薇的淡淡清香。但陈名对这故意装出来的迷人姿态熟视无睹:"我忙了一天,感到很累。你也早些回去休息吧。"

听到这个回答,向媛的眼光中极快地闪过一丝失落,随即堆出了一个勉强的微笑:"也罢,把你累着了倒是我的罪过。我只想你和我在一起时,感觉到的是轻松而不是负担。"

望着向媛越来越虔敬的面容,陈名却丝毫感觉不到感动,现在他惟一的想法就是早点回去,他的林娓聪一定等急了。

"要不然先让我给你按摩按摩头部?你会舒服些的。或者我们出去散散步?"向媛对陈名竭尽温存,百般试探,陈名只

141

是不理。

见陈名归心似箭,向嫒失落更甚,她试探着说:"你不用送我了,我自己回去。"

"也好,反正你家附近的池塘离这儿也不远,我送不送都一回事。"

向嫒万万没有想到她等到的竟然是这句话,原来陈名一直都对此事耿耿于怀。既得不到她的身体又得不到她的信任,陈名会越走越远的。

"以后找个机会来我家坐坐?"这是向嫒此刻唯一能稳住他的办法了。

陈名果然露出了笑容:"你真会邀请我?"

向嫒垂着眼皮向他匆匆瞥了一眼,"唔"了一声。

陈名突然产生了一个念头,喜不自胜,脸上露出了一丝微笑,但随即就抑制住了。

出了"必胜客",陈名与她挥手道别。

向嫒把下巴颏缩进大衣的立领里,身体向前弯,在狂风里走着。她感到冷,不仅仅是冷在身体上,她的心更是冻成了一块。她已经麻木了,没有感觉,如果说还有那么一点知觉,就是对陈名无限的恨。

17

　　玻璃已经陈旧得模糊了，不大愿意地把淡淡的冬天的阳光透进房间里来。母亲又到阿姨家去了，向媛刚刚给沈一允发了一个电子邮件。接下来的时间显得冗长而又无聊。

　　向媛一遍遍地站在穿衣镜前照镜子，她总结出来，自己的气质以及由气质所产生的动作来看，毋宁说用"迟缓"两字来概括十分恰当。她恨自己这个样子，没有青春的活力，难怪吸引不了陈名。

　　头脑里一想到这个名字，手指已经在电话键盘上掀了八位数。

　　"媛媛，我正想打电话给你，我有几个朋友想见见你，今天你可有空？"陈名今天的话说得非常客气，甚至带着几分抚慰的语调。

　　"好啊，我现在就有空。"向媛恶作剧地说。

　　"现在？现在我要上班呢。咦，你不用上班吗？"

　　向媛自知失言，连忙说："啊，语文课已经上好了，我就溜回来了，反正今天领导都不在。"

　　陈名也不往深的地方去想，他今天的声音无形中总透着喜悦:"行,那我也请个假吧。另外我再给我的朋友打个电话,说马上和他见面。半个小时后,我们老地方等怎么样?"

"好。"向媛不明白为什么前天还对她态度逐渐冷淡下来的陈名今天又突然高兴起来了,但她也不愿意多想,最近头脑老是发疼,所以她总是刻意地注意避免用脑过度。不管怎么样,今天有人替她解闷了,这总是一件好事。

她走出屋子,发现昨天还凛冽的空气,在今天竟然有一股春天的气息了。大自然随着春天的即将来临会表现出上天赋予的所有力量。这种力量传递到人的身上,使人也变得精神百倍。

向媛站在一家服装商店的一面橱窗前等候陈名,阳光反射过玻璃照在她脸上,刺得她的眼睛微微作痛。

"喂。"随着一声招呼,她发现陈名已经站在她面前了。今天他穿着一件暗绿色的皮茄克,衬得他更加俊美,格外惹人注目,像一颗精工镶嵌的钻石,特别是那双眼睛里的闪光似乎会使她的脸着起火来。

向媛心跳起来。这样挺拔英俊的男人,可惜不是她的丈夫,更可恶的是还有这样一个丑陋的灵魂,就像《巴黎圣母院》中的菲比斯,有着太阳神一样的容貌,却有着卑劣的心灵。她极力按捺住内心的波动,四下看看问道:"你的朋友们呢?"

"在前面的大酒店等着呢,我们快去吧。"陈名急匆匆地说。

向媛没有多想,跟着他往前走着。当他们进入酒店大堂,向媛四下张望着,三三两两的人,哪几个是陈名的朋友呢?

"别看了,他们在客房里。"陈名拽了一下她的胳膊,往电梯那里走去。

"他们为什么等在客房里?"向媛需要小跑着才能跟上他的脚步,她边跑边问。

"他们是外地人,来上海玩两天,不住客房还能住你家?"陈名回头给了她一个色迷迷的嬉笑。

向媛深信不疑,陈名早就说过他有几个外地好朋友,有机会会介绍给她的。

电梯停在九楼,陈名取出钥匙牌,打开了 F 座的门。

向媛奇怪他怎么会持有钥匙牌。当她进入室内,看见空无一人时,才发现自己上当了,陈名又一次骗了她。他编织的谎言荒唐透顶,却使她处于非常尴尬和危险的境地。

她转身就想逃出去。陈名却抢先一步关上了房门。

"你想干什么?"向媛后退一步,小声而严厉地质问道。

陈名听出了她的声音里有软弱和害怕的因素,这让他对今天所要进行的事情更有把握了。

"只想和你单独呆一会。"

"你为什么要骗我? 根本就没有什么外地朋友,房间是你刚刚才开的。"

"不骗你,你怎么肯来呢?"

"无耻! 流氓!"向媛怒斥道。伸手就想去开门。

陈名再也无法保持平静了,向媛的动作刺激着他的感官,他把她用力拖到床边,压倒在上面。

此时的他如同嗅到食物的狗一般,两眼闪闪发光,嘴巴凑上来舔噬着向媛柔嫩的脸蛋。

向媛大声叫喊起来。

陈名用一只手捂住她的嘴巴:"你不同意的话,我马上就放你走。但从今往后你不许再打电话来引诱我。我们从此恩断义绝。”

向媛果然停止了叫喊,就在她犹豫的片刻间,她的裤子已经从里到外一并被褪到了脚后跟。她奋力把裤子提上去,嘴上气喘吁吁地说:"你不能这样,我是处女,你这样做怎么对得起我?"

"我让妻子去打胎,和你结婚,这样总对得起你了吧?"陈名一边说着,一边重新将已经复位的裤子褪下去。

"不行,这样不行,你放手,你让我考虑一下。"

"爱情不需要考虑,除非那不是爱情。"

双方的较量就这样一个又一个回合地不断进行着,每结束一个回合,向媛的警戒网就被撕裂一道口子。最后,她的抗拒显得越来越无力,她的头脑里想着马上就可以复仇成功了,她的身体在男人的压迫下产生着强烈的生理反应。在这样的状态下,她走完了少女的路,成了一个女人。

望着这个被征服的女人,陈名笑嘻嘻地露出了许久以来没有过的得意的微笑。

见到这种笑容,怒火焚烧着向媛受伤的心灵,一个声音在她心里呐喊:去告他,告他强奸。这样林娓聪不但会和他离婚,他还要坐上许多年牢。这样的报复不是比原计划更解气吗?

向媛怒气冲冲地穿着衣服。

陈名笑着说:"这么急干吗? 现在又不是晚上,你妈妈还能管你?"

向媛停止了动作,同时脸色煞白。怎么把妈妈给忘了呢? 如果告他强奸,一定会闹得满城风雨。到那时人们该用什么样的眼光来看待她呢? 虽说是强奸,但如果自己不和他勾三搭四的话,他又怎么强奸得了自己呢?到那时不淹死在妈妈的唾沫里,也会被世俗的眼光看死的。如果沈一允知道了,说不定抛弃自己也有可能。那自己就只有死路一条了。啊,太可怕了,她不敢想下去了。

"你为什么这种表情?难道为所爱的人奉献自己,也会让你满脸怒容?我以为你心中激荡着对我炽烈的爱,热烈地向往着将自己的整个心灵倾注到另一颗心灵中去。原来只是嘴上说说呀。"陈名半躺着带着嘲讽的语气说。

向媛蓦地无言以对,可故意将冷笑的暗影堆在禁闭着的口角。

陈名揽过她:"亲爱的,你怎么了?"

"你不会忘了刚才的承诺吧?"向媛冰冷而又坚硬地问。

陈名叹了一口气:"我会对你负责的。"

向媛看着他的脸,一字一句地说:"我希望你不要骗我。"

"我知道了,回去后就让她去打胎,然后和她离婚与你结婚。"

"男人敷衍女人的把戏我看多了,我会天天盯着你的。"

"放心吧,我会去做的。"

"那好,你现在就回家。待会我打电话问你。"

"不用那么急吧? 晚一天都不行?"

向媛定下神来,的确不用那么急,沈一允还没有向她正式求婚呢,操之过急反而到时候不好收拾。

"好,我给你时间。但我可以等,你老婆的肚子却不能等。"

"媛,这就对了。"陈名亲了她一口说。

"我想一个人呆一会。"向媛的声调受某种隐秘感情的影响而颤抖着。

"也好,你就在这里休息一下吧。我继续去上班了,下班后我来接你。有事打电话给我。"陈名又亲了她一口,然后拉开门,走了出去。

向媛把手叉进凌乱不堪的头发,欲哭无泪。多年坚守的贞操毁于一旦,她明明可以阻止这件事情发生的,可她怎么就让它发生了呢?究竟是想要更顺利地进行报复,以期达到自己的目的,还是那种从未有过的感官刺激让她迷失了自己。向媛闭上眼睛,回忆着刚才惊心动魄的那一幕。

她的眼睛里看见的是陈名闪着亮光的眼睛,那双眼睛发出狂热的光辉,配上他身体重量的压迫,动作粗暴与温柔的结合,竟让她身体上的每一个细胞都前所未有的活跃起来,热浪一浪一浪地冲击着她的大脑。在他进入的那一刹那,她爆炸了,完全崩溃了。人家都说初交是很疼的,但她为什么只感到一丝丝的疼,而且还是淹没在巨大的快活中的疼。

向媛痛恨着自己,从小母亲就向她灌输欲望的可耻,她也秉承母教。但为什么一到关键时刻,她就这样经不住考验,会这样下流,这样不知羞耻。

向媛终于哭出来了,而且声音相当大。她痛哭自己失去的东西,那是多年的操守,精神上和肉体上的。她不愿再在这块地方待下去了。

离开酒店来到大街上,空气凛冽而澄澈,她漫无目的地走着,既不想回家也不想重回酒店。她站定下来,在这一刻,她有远离都市的想法。或到荒村去,或到海边去,或到森林去,或到荒漠去,只要是没有人烟的地方,她都想去。她讨厌她现在居住的这个城市,这里有太多的不正当的激情,这些激情容易把人们都投入到一种放纵的欢乐里,而沉溺于其中的人使污秽的空气里充满粗鲁混浊的笑声。向媛加快步伐跑起来,她要逃,她要远离尘嚣,她想飞到那种干净的地方去。

新年即将来临,火车站里人头攒动,都是准备回乡的外地打工者。向媛被人流裹拥着走过售票处,来到月台上,就像河水挟带着树枝和草茎围着桥墩打旋。

转眼已是日落西山,冬天衰弱阴冷的残阳之中,一辆列车慢慢地远逝。悄悄袭来的冷风中,闪着光亮的铁轨缓缓地朝右拐去。她眺望着这些景色,又一辆列车踩着同样的节奏滑进了站台。

向媛突然明白自己的想法是多么不切实际,她如果就此走了,除非一辈子不回来,只要回来,她怎么去面对母亲永无休止的盘问和那一双恨铁不成钢的悲哀的被皱纹包围着的眼睛。而一辈子不回来,她又哪有这样的魄力。

向媛走着回头的路,她穿过一条寒冷、凄凉、白晃晃的街道,无精打采地迈着沉甸甸的步子在街头徘徊。她是多么孤独无依啊,因为她不知何去何从。

她的 CALL 机好像已经响了好几次了,她找了一家公用电话,铃声才响了一下,就被陈名接起来了,那声音是充满焦虑的,毫不做作的:"媛,你跑到哪里去了?打你家里的电话没人接,CALL 你又不回电。我真急死了,生怕你会出什么事。你现在在哪里?我马上来接你。"

向媛的眼泪不争气地唰唰掉了下来,此时的陈名让她感动,那是一种无法用言语表达的情感。这些情感在她这颗悲伤的心灵的创伤上涂上了一种镇痛的香膏,似乎将痛苦变成了欢乐。

"我在××街上。"

"你怎么跑到那里去了?"陈名惊呼道。那是一条靠近郊区的在黑夜比森林还苍凉的小街。"你在那里别动,我马上就来。"

当原先隐约遮蔽天空的云层尽皆散去,薄暮的阳光温和地倾泄在街头时,陈名出现在向媛身边。一看见她,他就伸出双手握住了她瘦小的肩膀。向媛急忙摔开他的手,然而从他手里传过来的一道电流,已迅速地传布到她的全身。

陈名愣了一下,这种女人耍小性子的事使他又生气又为难:"你是恨我下午的表现?"

"是的,我恨!"

陈名揽住她的肩:"我会对你负责的。走吧。"

他们就这样默默无语地走啊走,走到了一座广场上。此时暮色更深,整个广场显得是那样轻柔、洁净,一切都染上一层柔和的浅灰色。陈名长久的沉默如暮色笼上向媛的心头,她的思绪在被一丝丝抽空,掉进了一个深不可测的冰窖里。

"我们找个地方吃饭吧。"陈名打破沉默,突然发现向媛已是满眼热泪,盈盈欲滴。

"你怎么啦?"陈名惊讶地问。

向媛又想到了他对她的强暴,以及强暴后那种得意的态度。一想到这些,向媛心里就像火烧似的难受,并且充满了羞辱。她像没有听到他的问话一样,只是茫然地注视着空间的某一点。

"向媛?"陈名叫着,他害怕起来,她该不是疯了吧?

向媛泪水纵情地奔流了。

陈名手足无措地站在一边,不知该怎么办才好。暮色又加深了,把她的脸庞和身段的轮廓淹没,仿佛披了一幅纱在她的身上。

此情此景,竟让陈名产生了一种英雄侠义的心肠,这种油然而生的情感促使他拿起手机大声对向媛说:"我这就打电话给林娓聪,让她明天就去打胎。"

向媛果然止住了哭声,用一双饱含热泪的眼睛期盼地看着陈名。

陈名突然又没了勇气,但向媛在注视他,她的身上具有一种柔弱而神秘的气质使得他像灌了迷魂汤一样机械地拨通了家里的电话。在振铃的时候,他的目光像在逃避一样落到远方。广场那边的栏杆旁,有两个看不见脸部的人,他们就像两尊塑像似的背映着灰黑色的天空斜依在栏杆上。

"陈名,你怎么还不回家?"林娓聪的声音显得焦躁而急促。

"我晚上要陪客户。我是想对你说一下,新公司很不景气,我看你还是把孩子打掉吧。等过两年我们有了点积蓄再要孩子,你看好吗? 不然我们负担太重了。"陈名像背书一样把话说完了。

长久的沉默,似乎还有隐约的哭声。陈名感到自己的双腿在发抖。

"等你回家后再说吧。"

林娓聪挂断了电话,陈名像白痴一样地看着向媛说:"她说回家后再说。"

向媛的精神似乎好了起来:"那就回家后再说吧,到时候你可不能心软了。"

陈名心情沉重起来,他的本意是想享齐人之福的,但现在的发展似乎使前景一片灰暗。

　　"你还是早些回家吧,明天听你的好消息。"看见陈名失魂落魄的样子,向媛感到一种复仇的喜悦。叫别人伤心的人,自己也得不到欢笑。想坐收渔翁之利,做梦去吧。

　　尽管向媛说话的声音很柔和,却深深刺痛了陈名的心,正像一只灵巧的手从伤口处挤出脓液那样。我本来都因为你的悲伤而试着放弃一个贤妻良母了,但你却对我的牺牲表现得这样不近情理。向媛的这句催促的话让陈名感到绝望而无力,他觉得自己赛过钉在十字架上的耶稣。

　　由于心情激动,他右边的面颊不住地抽搐:"那好,就让我送你回家吧。"

　　"不用了,我们的家南辕北辙,还是各回各的吧。"

　　"我不放心你,我一定要送你。如果你不同意,就是不信任我。"陈名的话斩钉截铁,令向媛根本没法拒绝。

　　当"的士"开到那个池塘边上时,向媛像往常那样叫司机停车。但陈名既然已经起了要对她负责的念头,疑问就促使他不再像以往那样妥协了。

　　"这么冷的天,还是开到你家门口吧。"

　　"我家就在前头,走几步路就到了。车子不容易开进去,不用麻烦了。"向媛说着,就开门准备下车。

　　陈名一把拉住她:"既然这样,你等等,我下车送你。"

　　"不用了,你今天怎么这样婆婆妈妈的。"向媛说完,飞快地下了车,消失在一条墨黑的巷子里。

　　陈名愣了半晌:还是信不过我? 为了一个信不过自己的女人,他怎么可能离婚呢? 陈名的嘴角现出一抹冷笑:处女又怎么样? 也没什么两样。难道就为了这个没什么两样,就要逼迫自己做违心的事情？如果不是妻子怀孕，不能过性生活，他怎么可能做出今天这种事情来。对向媛，他只是暂时的肉体需要，那不是真爱。向媛对他的不信任，似乎为他自己找了一个很好的良心上的借口。

当他出现在林娓聪面前时，发现她的眼皮有些红肿，好像哭过的样子。看见丈夫仔细地看着自己的脸，林娓聪避过脸问："不是要陪客户吗？怎么这么早就回来了？"

"我不放心你。"

见他回到这个话题，林娓聪问道："怎么又想不要这个孩子了？"

虽然陈名已经改变了主意，但为了不使林娓聪起疑心，他还是照着电话里的样子说："你怀了身孕，明明是一桩极快活的事情，但眼前的情形之下只能使我发愁。我现在前途未卜。"

"生意不好吗？"

陈名点点头："希望慢慢会好起来。"

"那就是还有希望了？"

陈名明白她的意思，他揽过她的脸说："是的，说不定我会成为大老板也未可知呢。要不然我们就赌一把吧，生下这个孩子。"

"太好了。"林娓聪兴奋地抱住他的脖子，"这才是我的丈夫，永不逃避的好丈夫。"

在这种声气相投的气氛中，陈名感到连呼吸也畅快了。

林娓聪捶了他一下："刚才真被你吓死了。想到要失去这个孩子，我的眼泪都流了一缸。陈名，答应我，只要有一线生机，就不要放弃我们的孩子。"

陈名感到一阵感动："是的，要扼杀自己的亲生骨肉，可不像拔掉一只牙齿那么容易。你难过，我会比你更痛苦。"

"这样我就放心了，去吃饭吧，我早就烧好了。"话音刚落，林娓聪突然感到又一阵的反胃，她冲向厕所，将胃中还没有消化的一点残渣余孽尽数吐出。

陈名紧随其后，在妻子痛苦地呕吐时，他一直在替她拍着背部。林娓聪回过头，朝他展露一个感激的笑颜。她记得陈名是有洁癖的，但他现在根本无视呕吐物的恶劣气味和形态，他像一个真正的模范丈夫那样地关心她。

妻子的脸黄瘦多了，但在此时陈名的眼里，她却有一种病若西子胜三分的无尽美感。当她垂下双手，几个手镯滑到手腕处发出叮当声，配上她现在的这个姿容，也产生了意想不到的音乐效果。

他们互相紧紧地握了握手。顿时，一股强有力的爱情的热流就像交流电似的传遍了全身。那是第二次恋爱的感觉，更醇、更香、更耐人寻味。

18

　　向嫒怎么也想不通,自己消灭了身上的稚气和柔弱,温情和纯洁,用奴颜婢膝和多姿多彩来侍奉着陈名,却依然赢不来他的心。他说林娓聪不愿意去打胎,你不去逼她,她怎么可能去打胎呢?更可恨的是,整个新年,他都像失踪了一样杳无音讯。只在昨天来过一个电话,只字不提离婚的事。话里的涵义仅仅是还想与自己有那种关系。自己付出了惨重的代价,却换不来陈名的全心全意。想到这里,不觉两行热泪,顺着双颊,潸潸滚落下来。

　　昨天晚上,她一整夜没有好好睡觉,一直不安地时睡时醒。她为自己感到不甘,却又不知何去何从。

　　透过窗帘滤入室内的阳光使得房间显得十分寂静,向嫒在这一片寂静中呆呆地坐着,如果不是电话铃响了,她恐怕就要一直这么枯坐下去了。

　　"向嫒,你快来陪陪我吧,我都快闷死了。"黄美娴永远像个精力过剩的人那样大喊大叫。

　　"美娴啊,我都已经辞职了,再过来,傻不傻啊。"向嫒有气无力地说。

"唔,听口气你好像不怎么高兴,是不是和陈名的事情进行得不顺利? 那你就更应该过来了,说不定我还能给你出个好主意呢。"

听她这么一说,向媛感到万分委屈,眼泪像潮水一般涌出来。

黄美娴意识到在没有联系的这些日子里,一定是发生了什么事情了。一半是好奇心,一半是关切感,她的声音比任何时候都要充满友情:"向媛,告诉我发生了什么? 我是你最好的朋友,我一定会想办法帮你的。请相信我,如果你还认为我是你的朋友,就把心里话告诉我吧。"

听了这些富有人情味的话,向媛先前对黄美娴的抵触情绪一扫而光,也许是她太多心,太以小人之心度君子之腹了。她像崩溃似的哭喊着:"美娴,我已经不是处女了,是他,是他用了卑鄙的手段——"她说不下去了,因为她已泣不成声。

黄美娴的嘴巴张得大大的,但她并没有叫喊,也没有晕倒。当然,脉搏总要跳得比平时快些。她努力使自己的声调保持镇定:"向媛,你别哭呀。你马上过来吧,我们好好商量对策。"

放下电话,向媛突然感到一线希望。这些日子以来,她就像掉了魂似的,整天无精打采地混日子。她几乎丧失了重整旗鼓、再攻难关的信心。除了每天发呆之外,什么事都懒得去做。她的脸色白得像瓷器,就像临死的人的那种白。黄美娴的这个电话,让她觉得生活的枷锁松开了一些。

进入熟悉的学校大门,向媛被一阵钢琴声音所吸引,就像着魔一样,她的脚步不自觉地朝着音乐教室走去。它是那么动人、美妙,能唤起人们心中轻柔的、飘然出世的感觉。突然,一阵甜嫩的歌声随着钢琴的伴奏生机勃勃地传出教室,孩子们纯真的歌声使向媛压抑的心灵感受到了荡涤。

她从窗口悄悄朝里看,意外地发现那竟然就是她曾经带过的那个班。向媛心潮澎湃,眼角不知不觉地湿了。她的心灵曾经和这些孩子一样洁白无疵,但自从被陈名无情地欺骗玩弄之后,她和孩子们的心灵就有了隔阂,肮脏的东西如同毒液一样开始渗进她的心灵深处。

回忆起那时的生活有多美啊,宛如隔世。现在她静静地站在这片熟悉的土地上谛听仿佛来自天堂的歌声,眼中看见的,耳里听见的,足以唤起她心中如此强烈、如此柔美、如此持久的怀念。

歌声停止了,向媛又回到了现实现地。她无声地叹了一口气,过去她真是太傻了,纯、蠢在读音上都是一样的。人活在这个世界上,不是来享受的,而是来受罪的。而她却在奢望享受,最终的结果只能是受更大的罪。

歌声再次响起,向媛用一种慈祥的、满怀深情的目光注视着他们,仿佛在怜悯他们只不过是为了受苦受难和等待死亡才来到人间。

歌声缓缓地停止了,而且久久没有再响起。音乐老师一直在对他们不知说着什么。向媛感到悲哀,这种悲哀来得就像刚才的歌声消失一样,非常缓慢,但却和当前的寂静一样确实无疑。这种悲哀提醒她,不能再像缄默的幽灵那样在不属于她的地方游荡了,她要到黄美娴那里去,那是现实的地方,对她有帮助的地方,那个地方不会再让她有做梦的感觉。

向媛迈着缓慢的步子下了楼,穿过空无一人的操场时,发现天地都仿佛喝过了酒。虽然是早春,天气却是那样醉醺醺的,仿佛天地都伸开了臂膀,要将世界上的一切都揽入它们的怀抱里。经过一冬的向媛像承受不起一样迅速奔跑起来,跑到总机室,门也不敲一下就推了进去。

黄美娴看见她,马上放下手中正在看的杂志,迎了上来:"向媛,你总算来了。快坐下,你看,我为你泡好了一杯红茶,这是养胃的,我记得你是有一点点胃病的。"

黄美娴的细致、温存,赛过母亲照顾小孩儿。向媛千疮百孔的心在颤抖,但她一句话也说不出来,因为她找不着什么言辞来表达她剧烈动荡的情绪。

黄美娴看着向媛那柔美的身影和忧戚的面容,说道:"我刚才在杂志上看到一句话,想送给你:心里的痛苦,如同不敢轻易触碰的伤口,越是刻意地不去触碰它,越是烂得更深。向媛,畅所欲言吧,我一定会帮你的。"

听了黄美娴的话,向媛忍不住冒出两颗眼泪,沿着腮帮淌下来。

黄美娴像母亲那样拍着她的背:"别难过。你应该笑到最后,难过的应该是那个作孽的人。你这个人最大的缺点就是优柔寡断、瞻前顾后。要么不做,要做就要做到底,做得好。"

这些话,就像是专对向媛的弱点打了一针兴奋剂。她陡地振作起来,她明白现在不是悲哀的时候,她既然已经迈出了复仇的脚步,那即使是再艰难的荆棘路,她也只有走下去。而现在有人愿意帮助她,这对于孤军作战的她来说,是多么难能可贵啊,她必须把握住这个大好时机。她将陈名怎样将她骗进宾馆客房,怎么攻破她的心理防线,强暴了她,而后又不愿意负责了,虽然还主动和她保持联系,但最终的目的无非是想拿她来填补妻子怀孕的空白,他除了想和她发生性关系,根本就没有和她结婚的打算;而她除了屡屡受到伤害之外,已经是一点反抗能力都没有了,更别提进攻了等等述说了一遍。

听了向媛长达一小时的血泪控诉,黄美娴的肺都要气炸了。同是女性,而且还是好朋友,她觉得就像是自己心上中了一箭似的。她大叫起来:"简直太可恶了!都这种时候了,你再也不能面和心软了,你要让他怕你。"

"怎么才能让他怕我呢?"向媛觉得似乎有一个绝妙的点子就要呼之欲出了,她的精神为之一振,脑袋也往前凑了几公分。

"他不是目前很怕和老婆离婚吗?你就威胁他说,以后要随叫随到,不然的话就把你们的事情公布给林娓聪听。他因为害怕,所以一定会照办的。你就每逢周末和双休日把他约出来,还有逢年过节,凡是和家人团聚的日子都约他出来。最好晚上也经常把他叫出来。长此以往,再蠢再善良的女人都会受不了的,她一定会和他大吵大闹的。而吵架的次数多了,势必会影响双方的感情。而你这个时候就要对陈名百般温柔了。你想想看,陈名和林娓聪还会不离婚吗?"

黄美娴的一番滔滔话语让向媛拍案叫绝。真是当局者迷,旁观者清。三个臭皮匠顶一个诸葛亮。向媛庆幸将事情的前因后果和自己内心的真实感受告诉黄美娴,不但心中的郁闷一吐为快,还换来一盏照亮前方道路的明灯。本来对黄美娴的戒心和失望因为她的理解而荡然无存了,向媛的心里翻滚着一种沸腾的亲热感。

"来,喝口茶,不然都要凉了。"黄美娴淋漓尽致地发表了一番建议,心中也是一阵舒畅。她咕嘟咕嘟喝干了面前的菊花茶,又把红茶往向媛跟前推了推。

向媛端起来喝了一大口，顿时，一种温煦的感觉从喉头往胃里慢慢下移，继而又从胃内往身体的各个角落扩散开去。

看见向媛脸上露出了久违的笑容，黄美娴也笑了，她是个非常适合脸上挂笑容的人，这样看上去很有亲切感。

"你和沈一允怎么样了?"黄美娴突然换了一个话题。

"他让我给他一个明确答复，以便于定好回上海的时间，与我开结婚证书。但我的报复行动现在一点眉目也没有，所以我不能这么快和沈一允结婚。我说再缓一缓，让我对结婚有个心理准备。"

"这样可不行，他不会怀疑你和别的男人相好吧? 就是说脚踏两只船。"

向媛站起身来，搓着两只手："他表面上毫不干涉我在上海的私人生活，但我知道他心里面是一刻也不停地在注意着，比如向我阿姨旁敲侧击什么的。他采取的是一种软绵绵的、糯兮兮的迂回策略。这也许就是年纪的缘故吧，是一个中年男子的做法。"

"你真的不能再拖了，如果沈一允对你失去了信心，决定放弃你了，那你不就完蛋了? 工作也没了，还要被母亲骂死。如果下次他再问你这个问题，你就说已经想好了，答应他的求婚。时间你可以定得晚一点。结婚后办妥签证还有一段时间……"

向媛突然情绪激动地打断她："不管怎么慢，都不会是两年后的事情，而林娓聪怀孕、生子、度过哺乳期，却是需要两年的时间的。"

黄美娴惊叫起来："上帝! 你难道要沈一允再等你两年? 这绝对不可能，这事一准要泡汤。"

"那我该怎么办？就这样轻易放过陈名了？"

"所以我说你要抓紧呀，逼陈名就等于是在逼林娓聪，林娓聪受不了了自然会主动提出离婚的，你的复仇计划不是就成功了吗？"

向媛的心怦怦乱跳，脑子里轰轰乱响。

"向媛，你不能再像灵柩车一样死气沉沉了。明白吗？你的时间不多了。多拖一天，就是多一天对真心爱你的沈一允的不公平。"

向媛重新坐下来，好把她那四分五裂的心神安定下来。

"说话呀，你觉得我给你出的主意怎么样？今天有没有白来？"

向媛叹了一口气："说真话，我万万没有想到你的头脑能纵览全局，又能洞察幽微，分析问题的能力让我自叹弗如。窝在这间小总机室里，真是委屈你了。"

"所以呀，你出去后千万别忘了拉我一把。"

今天总算挑明目的了。向媛的心一寒："你也想出国？"

"我这个人过于普通，各方面都没有什么惊人之处。就像是一只跟空气比重相同的气球，既不能上升到高空去，又无法降落到地面上来，处于上不升天下不着地的状态。"黄美娴的面孔突然容光焕发起来，洋溢着对生命的欢乐情绪，说的话也充满了幽默和机智，"你说，这是多么痛苦啊。我做梦都在想换一种生活方式，而还有什么事比出国更能彻底改变目前的状况的呢？时间走得像一阵疾风，我想在我还没有白发苍苍之前实现我的愿望。"

向媛定定地看着她："我好像重新认识了一个黄美娴。你这样的人一辈子这样生活，的确是一种资源的浪费。好吧，我一定会帮助你的,就像你帮助我那样尽心尽力。"

黄美娴热烈地拥抱了向媛,然后热烈地在她腮上印了一个唇印:"我知道,我没有看错人,你永远是我最好的好朋友。"

听了她的话,向媛突然又是一阵感伤:是不是当今的好朋友也是要带有功利性的? 也惟其是带有功利性的好朋友,才能给她出谋划策,让她存有卷土重来的希望吧。

接下来的时间,两人都没有说话,似乎把该说的都一下子说完了,剩下的也就是沉默了。二月底,正值梅花初绽,春天将至的时节。她们同坐在窗下,感受着早春的温暖,感到从窗外吹来的微风软柔拂面,四面一片静谧,阳光和煦。

向媛懒洋洋地稳坐不动,内心却在激烈翻腾,春天的阳光却将唤回碧绿的大地,可她冰结的心,什么时候才能消融。

19

　　虽然已经是春天了,但是晚间的空气依然彻骨生寒。陈名心急如焚地站在冰冷的街道上等候向嫒,随着时间一分一秒地滑走,他对向嫒也越来越恨。在这之前和向嫒约会过几次,她明明知道他心中所想,却百般推脱,每次都让他怀着一腔热血沸腾回家,最后还是妻子挺着大肚子小心翼翼地满足了他。可当他拒绝向嫒的约会时,她竟然威胁他,并且说到做到,家中骚扰电话不断。虽然他谎称可能是生意上的竞争者在搞破坏,暂时瞒过了对他高度信任的林娓聪,但是这种骚扰电话越来越密集,已经严重威胁到了妻子的生存环境,室外是高架的轰鸣声,室内是骚扰电话的断断续续又经久不息的搅人神经的铃铃声。为了不被妻子怀疑,为了未出生的宝宝的健康,他只得放下碗筷就冒着寒冷出了门。而她竟然迟到这么久,向嫒的这种行为和态度把他弄得非常恼火。

　　此时此刻,茫茫夜空,万籁俱寂,繁星点点,寒光闪闪。就在陈名心灰意懒的时候,他突然看见向嫒从星光下走了过来。

　　"你究竟想干什么? 不停地打电话约我出来,自己却迟到半个多小时。别把我惹毛了,我会对你不客气的!"

向嫒看见陈名声调粗野,带着威胁的态度和恶狠狠的眼神,再瞧他今晚穿着一件过于窄小的夹克,把身体绷得紧紧的,看上去就像一条冻僵的毒蛇。向嫒原本耍弄他的快感消失了,取而代之的是害怕和紧张。这不像是陈名,她印象中的陈名仅仅是卑鄙,还不至于粗野。卑鄙加粗野,这有多可怕。她立时脸色发白,嘴唇直颤动,良久才喊出一句:"我想干什么,你最清楚。"

听了向嫒的喊叫,陈名气得犹如沸腾的油锅里加上一勺冰冷的水:"当初你明知我已经结婚了,却还要来引诱我,说好只要我快活,你怎么样都不在乎。可我老婆现在大着肚子,你却要苦苦威逼我离婚。你这个女人真是太不可理喻了,认识你,算我倒霉。"

恐惧被愤怒冲走了,向嫒的声音颤抖:"是,我是这样说过,可你用卑鄙的手段无耻地占有了我。我只是为了讨回公道,我要你负责。"

"我会负责的,但现在时机不对。林娓聪不肯去打胎,你要我怎么办?"

不能吵架,不能吵架,因为这不是你的最终目的。向嫒暗暗对自己说,这样吵下去,准会一拍两散。她的眼睛看着他的眼睛:"我也并不是真的要你离婚,如果你不爱我,我强行和你结婚有什么意思。我只是痛切地感到失去你的生活对我是何等枯燥无味。不知不觉的,你的存在已在我的心目中急剧膨胀起来。你明不明白,我不是在逼你,我只是希望能多一点时间看到你。"

陈名登时呆若木鸡,对她的怨恨随之荡然无存:"你说的是真的? 你真的那样爱我? 可我为什么感觉不到呢?"

"你怎么会感觉不到呢？每次见面,我都对你这样好。"

陈名摇摇头:"可我真正需要的并不是温柔和体贴,你心里其实很清楚,可你每次都拒绝我。你这种表现,怎么让我相信你是爱我的。"

向媛呆楞楞地看着他,难道自己是疏忽在这个地方吗?难道性爱对男人来说竟是处于这样重要的位置?男人真是动物。

"我不知道这对于你是这样重要,我真的不知道。"她喃喃自语道。

陈名温柔下来,就像咆哮的大海被安抚下来一样:"那你现在已经知道了?"

向媛抬起眼睛看着他,心情有点像奔赴刑场:"我可以答应你,可是你会爱我吗?"

陈名张开双臂抱住她,气喘吁吁,以一种疯狂的温柔,像一个虐待者在请求宽恕似地低声说道:"你怎么能这样问呢?我一直都是爱你的呀。是你自己,老是给人以拒人千里之外的感觉。对不起,刚才我不该对你凶,我们和解了吧。"

向媛迷惘得发窘,双颊绯红,低下眼睛。

向媛的样子激起了陈名的情欲,他直言不讳地说:"我们去开房间吧。"

向媛的心颤抖了一下,此刻她觉得自己无比下贱,好比是一匹农民在市场上出售的母马。而为了不至于前功尽弃,就让自己沦为畜生吧,只要经过不懈的努力而能求得圆满的结果,暂时的耻辱又算得了什么。

在一家旅社简陋的屋子里,向媛和陈名有了第二次的性接触,很缠绵,也很热烈,让陈名有一种欲醉欲仙的感觉,这种感觉是久违了的,又是极新鲜的。

当陈名从向媛的身体上退下来的时候,她突然冒出一句:"我想到你家里去看看。"

陈名一下子愣住了,他张开嘴巴,眼睛看着向媛的鼻子,这鼻子生得很端正,可以作她面部的中流砥柱。

向媛赫然愤怒了,她一把拉过毛毯盖住裸露的身体,紧皱眉头说:"还说爱我,我把什么都给了你,你却连我这么一个小小的要求也不答应。"

向媛的举动和质问的话语无异是当头棒喝,陈名马上清醒过来:无论如何不能再惹恼向媛了,现在她是唯一一个能够带给他性快感的女人。在她身上,他可以随心所欲的、淋漓尽致地发泄性欲。即使妻子没有怀孕,和妻子作爱与和情人作爱也是不一样的,和妻子在一起时多少会有一些顾虑,或担心她不高兴,或要照顾她的感受等等;而和情人在一起,特别是并不很爱的情人,那就可以想怎么样就怎么样,一点思想顾虑也没有,肉体快感能够达到最高境界。

"亲爱的,你别急呀。从现在开始,无论你提出什么要求我都会答应的。可是林妮聪天天都在家里,你怎么能来呢?"

向媛平息了一下怒火:"你不会让她去娘家住几天吗? 我不信你会连这点本事也没有。"

"当然当然。"陈名满嘴应承着,"我一定会尽快创造这样一个机会的,现在你的命令对我来说就是圣旨。这下你该满意了吧?"

向媛的嘴角浮起了淡淡的笑意,悄悄地把视线投向他,她那白白净净的面孔把憔悴的脸色遮盖了,双眼含着冰凉的目光。

走出旅社,他们看见散落在黑暗中的远方灯火明灭闪烁,宛若一串珍珠。

"真是不早了,我送你回家吧。"

陈名的声音冷酷无情地震动了向媛的鼓膜:一完事就要走人,他把她当什么了,妓女吗?妓女还要付钱呢。她在他的心目中竟连妓女都不如。

向媛停下脚步,冷冷地说:"你走吧,我不要你送。"

装在道路上方的弧光灯往空空荡荡的地面上投射着冰一样的凛冽的光,犹如向媛的声音。

"你生气了?你是怪我不再陪陪你?"陈名说着,突然发现天空飘起了毛毛细雨。"你看,今天这么冷,天又下雨了。我何尝不想和你多待一会,但是今天实在是太晚了,反正我们来日方长。"见向媛还是沉默不语,他又补充一句:"两情若是久长时,又岂在朝朝暮暮?"

雨星星落落地飘落下来,灯光宛如细粉末一般点缀在向媛身体四周,使她看起来流光溢彩。

"向媛,你现在越来越漂亮了。"陈名忍不住拥住她,在她的额角印上一个热吻。这一刻,他发现自己已经真的又有点爱上她了。

陈名的这一番举动让向媛感到曙光在前方,自己的前番努力没有白费,看来计划的成功只是感情投资的时间问题了。强烈的复仇愿望使她陷入了狂热之中,她一反常态地张开双臂,热烈地搂住陈名的脖子,忘情而又大胆地递上自己滚烫的双唇。

陈名惊叹向媛像变了一个人,他感到她对他怀着如痴如狂的火一般炽烈的爱情。其程度就像把着迷的听众们对最流行的歌手的崇拜集中在一起那么狂热。他也受到了感染。两人在冷丝丝的夜幕下狂吻、缠绵、许下誓言。

"明天，明天你就到我家来。"陈名一边鸡啄米一样吸着向媛的嘴唇、眼睛和鼻尖，一边承诺着。

"你有把握?"向媛问道，内心却是一阵狂喜。原来男人的致命弱点就是性，只要抓住了性，就等于是抓住了人。如果早知道男人是这般畜生，自己也不会搞得这样惨。以前她天真地相信男人的誓言，现在想想多么可笑啊，誓言永远像是最美丽又最易碎的镂花玻璃，是最不可靠的。对男人来说，最真实也最实用的就是性。

"你看我的吧，明天我下班后就把你接到我家来。"

向媛满足地闭上了眼睛，连她自己都搞不清楚为什么一定要到他们的新房中去浏览一下才会死心。而且她最渴望的就是看到林娓聪的照片，想看看那是怎样一个漂亮的女人，她遏止不了这种久埋在心底的好奇。那是一种女人的竞争，暗中的较量。

吻别向媛回到家中，陈名做贼心虚地感到周身都是情人的气味，然而林娓聪却丝毫没有起疑心。面对妻子的信任，陈名有些惭愧和内疚。但向媛的诱惑在他体内作祟，让他鬼使神差地一再辜负欺骗妻子。

"你明天回娘家住几天吧，我感冒了，万一传染给你，对宝宝不好。"陈名编造谎言的时候，目光不敢停顿在妻子身上的任何一个部位。

"你感冒了? 要不要紧?"林娓聪既焦急又意外地摸了摸他的额头，"是不是工作太累了? 最近公司进展怎么样?"

"只是感冒而已，没关系的，最近公司不好也不坏，不过和在乔先生那里是不能比的。"陈名低着头说出这些话,最后又补充问一句,"日子比以前紧了,你又大肚子,我很没用。"

见丈夫心事重重的样子,林娓聪只以为他是为经济而担忧,丝毫没有想到会有另外一个女人占据了他的心灵,让他愁眉不展。为了减轻丈夫的心理负担,林娓聪的声音换了一种坦率的、无所顾忌的调子:"只要开心,钱少一些怕什么。想想看,再过几个月,一个可爱的肉团团——我们爱的结晶,就要出现在这个小家庭里,那该是一种怎样的天伦之乐啊。而且最近我靠这台电脑也赚了不少钱呢,生活总不成问题了。"

陈名看着他的妻子,虽然笑脸是装出来的,但绝无造作之感,看了只会让人心酸。如果不是向媛爱他爱得这样彻底,他想他是不会背叛妻子的。即使有性方面的障碍,他们也是能够处理好的。

"你为什么要这样看着我?"林娓聪打住话头,惊奇地问。

陈名轻轻捉住她的两只手,把她拉到自己身边,柔声说道:"我看你真是白莲般的尊贵,给人优美之感。虽然我们已经过了新婚燕尔,但我们的婚姻不是爱情的坟墓,而是爱情的深化,我发现我已经越来越爱你了。"

林娓聪幸福地倒在陈名怀中,这一刹那是最甜蜜的时刻,仿佛在贫穷潦倒的荒凉的路边上,或是在万丈深渊之下,忽然出现几朵象征爱情的玫瑰。连月来怀孕的难受反应和对未来渺茫的恐慌,以及经济的日渐拮据已使美丽的少妇忧心忡忡,但现在浮云春梦一样的感觉让她对生活又充满了信心和勇气。

20

城市已沉浸在茄子色的晚霞之中,夕阳的余辉还依依未尽。陈名和向媛已经出现在楼下了,向媛的心突然激动不已地突突乱跳起来,那本该是属于她的楼房,却住着另外一个女人。

　　"上楼吧,林娓聪在娘家,今天肯定不会回来的。"见向媛踌躇不前,陈名以为是她有顾虑,他不知道此刻她的内心正掀起滔滔狂澜。

　　向媛回头看着陈名黑色的眼睛,看了足足有两分钟。那双眼睛闪闪发光,这火光有时低而稳定,有时火焰四射,不过它始终燃烧。

　　陈名被她看得笑了起来:"看什么呢? 快走吧。给邻居看见就不好了。"

　　向媛吞下已经升到喉头上的呜咽,跟随陈名作贼一样地快步上了楼。

　　打开大门,一张巨幅的婚纱照首先扑入眼睑。向媛梦游一般一步步走向这张挂在客厅墙上最抢眼的位置上的照片。她一直以来都认为自己长得不错,可是即使现在戴着有色眼镜来看披着婚纱、眉如粉黛、双目如漆的林娓聪,也足以让她目眩神迷,自愧弗如了。

陈名从身后抱住她的腰,嘴巴贴紧她的耳朵说:"我们不看这个。我现在想要你。"

陈名将向媛又拉到了现实中去,让她滋生出一股变态的快感:漂亮又有什么用? 你老公现在爱的人是我,我会用尽一切办法让他一天比一天更离不开我的。到时候让你天天以泪洗面,再漂亮的人都会不漂亮了。

陈名将她拦腰抱起,大步走到卧室的床边,然后重重将她抛下,紧接着又将自己的身躯重重压了上来。

"可爱的向媛。"他说。

向媛在接受他蹂躏的同时,感到一阵阵心悸,特别是他的那句话。她感到他简直如同凶残的饿狼或者疯狂的公牛,她在他的眼睛里显得十分可爱,就好像羚羊让狮子觉得十分可爱一样。他在猎物面前像鬣狗一样猖獗狂吠,张牙舞爪,本性毕露。而在得到满足后,眼中凶光闪闪,却又要特意装出一副温和的样子。这些只能让她加强自己是性机器的概念。但她心里很清楚,这些内心感受只能将它深埋在心底,现在所要表现出来的只能是快乐和温情。惟其如此,她才能大获全胜。

"你饿了吧? 要不我们一起出去吃晚饭吧。"向媛用柔软的嘴唇亲吻着陈名裸露的肩头说。

"这个——还是你等在这里,我出去买一些点心回来吧。"陈名说着搔搔耳朵,一个人为难的时候几乎都有这种莫名其妙的动作。

"我知道,你最近手头很紧,没关系的,我来付钱好了。"向媛柔声细语地说道,尽量做到不伤害他的自尊心,而是给他一种善解人意的好感。

"这是什么话？我男子汉大丈夫怎么能让女人出钱呢？"陈名拍着胸脯响当当地说，"你也太小看我了，手头虽不怎么宽裕，饭钱总还是有的。我是担心被邻居看见。"

向媛目光深幽地看着他说："我怎么就忘了呢？我们是干地下工作的。"

听了她的话，陈名忍不住笑起来，但一接触到向媛那双幽怨的眼睛，马上止住笑，换上一脸严肃说："媛，你再给我一点时间。总有一天我们可以正大光明地挽手走到一起的。"

向媛勉强挤出一个笑容来："我们不谈这样沉重的话题了。我肚子已经饿得咕咕叫了，你快去买点心吧。我想吃生煎馒头。"

"真对不起你了，晚饭弄得像早餐一样。"

"我们就像自己人一样，说这些不是生疏了吗？"向媛装出来的那种甜腻腻的微笑，就连她脸上的肌肉都感觉出来了。她伸手推了他一把，"快穿好衣服去吧。快去快回，别让我等急了。"

幸福像碧波一样，在陈名心头荡漾。他又一连给了她三个吻，这才恋恋不舍地离去了。

屋子里暗沉沉的，向媛心虚地拧亮了台灯，她伸出手臂穿衣服的时候，看见电灯光把她细细的汗毛染成了美丽的金黄色。她呆了半晌，心里产生了一种微微的冰凉感。

穿上衣服，她在这套两室一厅的屋子里慢慢踱步。这套被年轻貌美的女主人整修一新的屋子散发着清新与宁静的气息，那种柔和的、幸福的宁静，使人感到一种甜蜜的慵懒。从中可以感悟出，女主人是一个善良聪明，有文化的女子。而我却在伤害这样一个女郎。向媛恐惧地捂住脸,她的脸像被火烧一样灼热起来。她热,她感到自己要窒息而死了。她冲到窗口,用力拉开厚重的隔音玻璃窗,高架路上震耳欲聋的声浪立刻扑面而来,好像无数个巨兽就要朝她扑来。向媛惊骇地关上窗,心房兀自怦怦跳个不停,仿佛就要冲出喉咙逃向天国。

哦,我在干什么? 难道我就不像一个刽子手吗? 向媛的手指甲深深地掐进自己的手掌心。这不仅仅是心灵与肉体上的痛苦,更演变成了一种深入骨髓的绝望的冷。陈名与我不过是一张幻灯片上或是一块彩绘玻璃窗上的图像,但当完全不一样的梦幻用急流溅射的泡沫把它弄湿了时,它也就开始失去光泽。这本是一种自然现象,可我为什么偏偏要钻进牛角尖,做出害人害己的事情来呢? 仇恨遮住了我的眼睛,堵塞了我的智慧和心灵。报复的结果不可知,过程却是无比艰辛痛苦的。要不然就此放弃吧。

向媛开亮了房间里所有的灯,似乎想用光明来驱除自己内心的黑暗。刚才来不及好好欣赏这个新房,现在她抱着一种平静的心情来打量周围的一切。

在亮如白昼的灯光照耀下,可以看清室内色调明快,富有西洋情调,从挂在墙上的油画的风格,一直到窗帘和卧室的花纹图案,都给人以鲜艳华丽的印象。看着看着,向媛的心理又失衡起来。为什么他们可以享受温馨的两人世界,还即将迎来天伦之乐,而她不但成了爱情的失败者,还失去了宝贵的贞操。如果就此退出,那她亏得不是一点点了。

她的心被这两股相反的力量猛烈地拉扯着,痛苦不堪。

门"嘎"的一响,向媛触电一样弹了起来,两只眼睛因为惊恐而睁得大大的。

看见向嫒额上全是惊恐的冷汗，陈名哈哈大笑起来:"你以为是女主人回来了? 吓成这个样子。你平时不是很凶的吗? 怎么现在胆子这么小? 到底是做贼心虚吧?"

陈名的话令向嫒怒不可遏，原来犹豫的心一瞬间坚定起来:将报复的路继续下去，这样没心没肺的男人就该去死，哪怕是累及无辜，她也顾不得这许多了。

"买了什么好吃的? 我要的生煎呢?"虽然一阵冰冷的寒战直透后背，但为了最终目的，向嫒还是忍了下去，她故作无所谓地问道。

"没有买到生煎，我买了三明治，这也是你喜欢吃的。待会我再冲两杯咖啡，凑合着吃一顿算了。下回我请你吃好的。"陈名说着，已经动手冲了两杯速溶咖啡。

向嫒看着他做这一切，这是一个能干的男人，即使是在做家务时，也是有模有样的。咖啡沁人心脾的香气，在别人的新房里酿出了亲密融洽的气氛。向嫒长长地叹了一口气，仿佛要把郁积在心头的烦恼尽数倾吐出来似的。

"怎么突然又叹起气来了? 小心肝。"陈名坐在她身边，抚摩着她的黑头发柔声说，"放心，我会对你好的。"

向嫒的心顷刻一软，但随即又一硬，不要被这个骗子迷惑，狼可以变换毛色，但决不会改变本性。

陈名关灭大灯，只留下一盏昏黄的小台灯，他像灯光一样的柔情似水，搂着她的腰肢说:"今晚就住在这里吧，她不会回来的。"

"你忘了妈妈给我定的规定了吗? 不能超过十二点。现在几点了?"

陈名登时扫兴："还早呢。你撒个谎吧，就说住在同学家了。我很想抱着你睡觉。"

"不行，我有几个要好的同学，妈妈都很清楚，骗不了她的。"

"那太遗憾了，"陈名失望地说，"我们若是能相拥一个晚上，感觉一定会很好的。"

"只要你有诚意，将来不是天天可以相拥而眠吗？"

陈名不喜欢向媛老是有意无意地提和他结婚的事情，但是她一提，反而又激起了他奇特的性欲，他动手剥着她的衣服说："你真是个鬼精灵。"

"干什么？"向媛吃惊地拉住衣服，"你不会是个性欲狂吧？"

"你怕不怕？还想不想和我结婚？"陈名捏紧她的下巴，半是狞笑半是淫笑地问。

"讨厌。"向媛半是认真半是引诱地说。

陈名受到了鼓舞，他将向媛的衣服尽数剥去，把她摁在沙发上，然后拿过一瓶葡萄酒，将酒一滴一滴地倒在她的裸露的胸脯上，酒像红宝石一样，在那由于发笑而颤动的雪白的胸膛上流动，他的嘴唇追逐着去喝在光滑的皮肤上流淌的酒。喝完后，又继续往她的胸脯上倒。

"啊，要淌下来了。"向媛尖声叫道。

听到叫声，陈名放下酒瓶，立即去吸吮她身上的酒，向媛发出愉悦的叹息声来。

从倒酒开始到陈名再次占有她的全过程中，向媛千思万想，不知有过多少念头。她既觉得陈名这样不尊重地对待她，是可忍，孰不可忍，她要反抗；又觉得这样做能让生理上产生快感,在交合的时候,她仿佛觉得自己正在飞出去,如同一个从摇篮里放出去的玩具氢气球,越飞越高,飞到叫人眼花的高处。在这两种念头闪替时,林娓聪端庄妩媚的脸庞不时在脑海中划过。身体运动停止的那一刻,向媛突然感到万念俱灰。在激情燃烧的废墟上,看不到一丝希望。于是这种激情就成了一种罪恶,一种无耻。天使发明了男欢女爱,没有好好利用,却被魔鬼抢先领用,并且无限制地扩大下去,变得千奇百怪、丑态毕出。可怕的是这种丑陋偏偏又是妖魅的,不可抵挡的。

这个时候,手机响了。陈名一骨碌爬起来,到处去找自己的手机,却看见向媛的手上拿着一部精巧的手提电话,已经按在了耳朵旁。

向媛什么时候也用上手机了?陈名感到非常吃惊,更让他吃惊的是向媛居然都是在用英语交谈。他怎么不知道职业是小学语文老师的向媛竟然有这样一口流利的英语。只见她时而颔首微笑,时而微皱双眉,时而又开怀大笑。足足旁若无人地讲了有将近半个小时,才恋恋不舍地道了一声"拜拜"挂机。

见陈名严厉的目光中透着浓浓的醋意,向媛露出一抹娇慵无力的笑容,在沙发上伸直了她只穿着一条内裤的双腿,脸上春情荡漾:"原来你也会吃醋?会吃我的醋?我还以为你是一个冷血动物呢。"

"这个男人是谁?你们之间有什么不可告人的秘密?亏你还说自己有多么多么纯洁。"

见陈名动了怒,向媛摸不准他的心思,于是也收敛了笑容,质问道:"你凭什么断定这是个男人?凭什么可以诬蔑我和他之间有不清不楚的关系？我纯不纯洁，不是在你强暴我的那一天起就已经一清二楚了吗？”

“你为什么用英语说话？难道不是心中有鬼吗？你不要隐瞒和这个男人的关系了，我看人极有眼力，嗅觉灵敏，就像妖魔闻得出新鲜的人肉。”

向媛哈哈大笑起来：“幽默，实在是幽默，真没想到你这样的人还能说出这样精辟幽默的话来。哈哈，真是乐死人。”

陈名观察着向媛脸上故意装出来的放肆的神态，由于她过分地故作快乐与活泼的姿态使陈名感到一阵难堪的苦闷、烦恼和气愤。

“够了，你不要再刺激我了！”他大喝一声。

向媛突然觉得万分有趣，看来沈一允会是陈名很好的一个克星，刚一出场，就把不可一世的陈名弄得醋意大发且痛苦不堪。难怪曾在一本杂志上看到这么一篇文章，说若是夫妻感情不怎么的，不妨来点掌握尺度的婚外恋，反而能刺激感情的激进。看来的确是一句来自生活中的至理名言。

“陈名，我现在还不是你老婆呢。我有权和别的男人交往，你这个有妇之夫有什么权利指责盘问我？”看着陈名的脸色越来越难看，神情越来越痛苦，向媛感到无比痛快。她觉得伤害这个屡屡伤害过她的男人，是一种乐趣。

正方形纸罩下台灯射来微弱的亮光，照得向媛的脸庞像薄薄化了妆似的，分外俊俏。陈名感到思恋的感情徘徊在心头，心里隐隐作痛。这个疑虑重重的电话，已经冲散了今夜肉体所带给他的快活，只剩下猜测和痛苦拥裹着他。

“陈名，过来坐在我身边。”向媛在向他招手示意，目光中闪烁着一种令他感到陌生的智慧。

陈名赌气般地转过身不理她。向媛把散乱的秀发一转挽到脑后,然后从容不迫、有条不紊地穿衣穿裤。最后她看着他的后背说:"你既然不理人,那就再见吧。"

陈名猛然转过身,正好接触到向媛那带讥诮的深刻而锐利的目光。那是不同于以前的向媛的眼睛,它特别,有勾引力。

"你这个婊子!"他大喊一声,朝她冲过去。

向媛也迎着他走过去,两人的身体撞击在了一起,他们的身体紧紧贴住,嘴唇急切切合拢。甜蜜和感伤掺和在一起的唾液,渗入到陈名激情的心田里。

两人良久分开,互相注视着对方的眼睛。

"我爱你,媛,答应我,不要接受其他的男人,我会受不了的。"

他终于对她动了真情,不是她的努力,也是一种自然趋势吧。向媛丢下妩媚的一笑:"他只是我的一个普通朋友,已经四十多岁了,我不会和他有事的,也不会爱他。"

"手机是他替你买的? 我知道你是个节俭的女孩子,你不会舍得买这种对你来说是奢侈品的东西。"

手机是沈一允上次来上海时买给向媛的礼物,但她不能承认,她摇着头否认道:"不,这是我弟弟的,他已经参加工作了。第一次发工资,就买了这个东西。说是我和他合起来用。"

"真的?"

"千真万确。"

陈名开怀大笑起来:"你这个坏东西,存心不早说,想看看我着急的样子,你真是坏透了。若不是已经太晚了,我真想再

178

干你一次。"

向媛满脸通红,她用手指戳开他:"下流。"

陈名笑着看着她,这个样子的向媛才像是真正的向媛,一个熟知的女孩子。

"我要回去了。"

"等等,我穿好衣服送你。这么晚了路上不安全。"

"不用了,万一给邻居看见不好,你不是说现在时机不成熟吗?我'打的'回去好了。"向媛说道,其实她是担心他会执意送到她家门口,决不能让他知道自己的具体家庭住址。

陈名恋恋不舍地拉过她的手:"你明天还来吗?"

"只要你要我来,我就来。"

"我当然要你来了。你知道,这样的机会是很难得的。"

"那我就来。"向媛对他格外温柔、恩爱,似乎要用最丰富的感情补偿他因为妻子怀孕而不能绽放的夫妻生活。

陈名感激涕零,他感到他们已经在深深相爱了。

向媛走出小区的大门来到马路上,几盏稀稀落落的路灯射出昏暗的光线。向媛觉得自己好卑鄙,一边答应了沈一允的求婚,一边又在和陈名极尽男女之欢。她不知道当两个月后沈一允来上海和她领结婚证书的时候,她会不会因为羞愧而跪倒在他的脚下请求原谅。

21

天地间无所不在的春日馨香在屋内也荡漾着,向媛微闭着双眼,嘴角挂着一痕甜蜜的笑容,想到再过半个月,沈一允就要从美利坚共和国飞回来,和她结婚。想到自己即将成为人妇,她的心河就泛起阵阵美妙的涟漪。随着书信的增厚,他们的感情已在不知不觉中也增厚了。

　　向媛睁开眼,看见母亲的脸像金光万丈的太阳一样从窗户后面升起来。

　　"妈,你买菜回来了?"向媛起身给母亲开门,"今天买了什么菜?"

　　"我买了一只老母鸡给你炖汤吃。你这个月月经到现在还没来,我估计是你的肚子太凉了。大姑娘的肚子不能太凉,太凉了将来结婚很难怀孕的。沈一允都这么大年纪了,他一定很想要个小孩。"母亲边说边进了厨房。

　　母亲竟然这样细心,她还关心着她的每个月的例假? 向媛的心嗵嗵乱跳起来,莫不是怀孕了? 这些天过得昏昏沉沉的,连自己的月经周期也忘了。该不是真怀孕了吧?

　　从窗外吹进来的温暖风,拂在脸上像纤绒一般的细软。

但她浑然不觉,她感到自身的血液都凝固了。老天爷,你该不会跟我开这样的玩笑吧? 我已经够悲惨的了。

不行,得打电话给陈名,让他陪我到医院里去检查。如果真的是怀孕了,我就拿刀杀了他。

向媛窜出屋子,飞奔到公用电话亭,急切切地把自己的疑虑告诉给了陈名听。

"你先别急,"陈名在电话里安慰着双脚直跺的向媛,"一定是虚惊一场,你不是除了安全期每次都吃药的吗? 不会有事的。"

"可是有一次早上该吃第二片的时候我却忘了,会不会就是那一次,漏吃一片的关系?"向媛被这个猜测吓得哭了起来。

"不会这么巧的。你先别乱急。我跟你说,你现在到药房去买一盒早早孕测试剂,测了以后再打电话给我。一定不会有事的,放心。"

"要我去买这种东西? 我可不好意思,羞死人了。你去买来给我。"

陈名略一沉吟:"也好,下班后我们一起去买。"

"下班? 可现在才是早上。等到你下班,我早急死了。你不能今天就不上班吗?"

"最近真的很忙,公司刚有了起色,天天忙得四脚朝天,等招到人手后就可以轻松了。"

"算了算了。我知道你是靠不住的,还是我自己去买好了。"向媛摔下电话,两行热泪已经顺着脸颊流了下来。

向媛一路走一路哭着,委屈、后悔、害怕、气愤、羞愧——一百种感情一起涌上心头。当走到药房门口时,她通红的眼睛又湿了。真是作孽,自己一个还没有结过婚的女孩子,竟然来买这种东西。

她走进药房,眼光从摆放着各种避孕品的柜台上扫过,却不敢细看有没有早早孕测试剂。她只是装模作样地在其他柜台上看着药品,目光偶尔从避孕品柜台上溜过,还是不敢细看。

"小姑娘,买什么?"一个营业员大嫂亲切地问道。

向媛一时涨红了脸,说不出话来。她看见营业员大嫂的目光在转化:亲切——疑问——鄙视。

"我买——买眼药水。"她冲口而出。

营业大嫂的目光又恢复到了亲切:"买哪一种眼药水啊?"

"氯霉素。"向媛胡乱买了一瓶,逃一样地离开了药房。

我真没用。向媛拍打着自己的脑袋。还是等陈名下班后买吧。不行,我急于想知道结果。老天保佑,千万别让我怀孕,那样太可怕了,还不如让我死了的好呢。

向媛向着下一个药房走去,一边在内心里说:这次一定要买到。谁说年轻的姑娘就一定是没有结过婚的呢? 只要自己表现得落落大方,人家一定会认为自己是少妇的。

素雅的姑娘受着忧伤的侵蚀,眉宇之间越发庄严沉重。不知不觉中,又一家药房出现在面前。向媛犹豫片刻,鼓足勇气走进去,却发现这一家小小的药房中竟然站着四五个营业员,并且一看见她就争先恐后地伸长脖子问:"小姐,你买什么?"

向媛再怎么迫使自己的脸皮厚,都无法将想要的东西说出口,于是她又买下了一瓶眼药水,这次的是洁霉素眼药水。

走出店门,看见树儿摇曳,云儿漂游,对面高楼上的玻璃窗犹如一片片水晶树叶,灿烂夺目,一派春日阳光的景象。她突然鼻尖一酸,眼泪滴滴答答地掉了下来。这个阳光和煦、明媚宜人的春天展示给她的却是一幅惨绿愁红的图画。

我该怎么办啊? 向媛仰天无言地询问苍天。苍天似乎在对她说:是谁造成这一切的,你就去找谁。

向媛拿电话筒的手不住打颤,分不清是气愤还是紧张,她说出的话既是带威胁性的,又是带撒泼性的:"陈名,你作的孽,还想安安稳稳地上班? 你给我出来,去药房给我买药!"

陈名为难地叹了一口气:"我现在忙得恨不得脚也举起来当手用了,要不然这样吧,我去买,你现在过来拿。"

"放屁!"向媛忍不住骂粗话了,"你的公司在那么远的地方,让我过来拿?"

"向媛,你讲点道理行不行? 这也不是,那也不好。你有这点时间冲着我发火,早就自己买好了。该你厉害的时候你这么窝囊,该你温柔的时候你又这么凶悍。"

向媛顿时觉得一股怒气上升。她摔了电话,然后一遍遍地给林娓聪打电话,或是等到林娓聪道出一声"喂",她就挂断电话,或是铃声才响了一两下,就把电话挂了。足足折腾了有半个多小时,心中的怨气才稍稍平息。

在做这一切的时候,她的思绪陷入一团混乱的状态,好像就要发疯了。借着这股冲动,她奔进药房顺利地买到了早早孕测试剂。

不能把这种东西带回家测试,若是被母亲发现了,她会扒了她的皮的。向媛的眼前浮现出母亲的脸,那深深刻在脸上的皱纹,是她大半辈子苦难生活的痕迹。我对不起你,妈妈。向媛默默说道,闪身进了一家公用厕所。

她小心仔细地先看了一遍说明书,然后把测试棒插进小便里,这时候,她紧张得眼睛都闭上了。一遍遍地在心里祈祷:上帝保佑,上帝保佑——

一分钟后,她猛地睁开了眼睛。当她看见测试棒上出现两条红线时,立即"轰"地一下,头脑都涨开了。她又不相信地对照了一遍说明书,阳性,没错,她怀孕了。

向媛的脸白得没有一丝血色,为什么痛苦和不幸一直像沥青一样沾在我身上,摆脱不了? 当我快要结婚的时候,却发现怀了另一个男人的孩子。

向媛跌跌撞撞地朝回家的路走去,一进家门,就一头倒在床上。

"哟。你到哪里去晃了? 都快要吃午饭了。"母亲一看见她就絮叨起来,"一回家就躺在床上,这么懒,怎么做人家老婆?"

"妈妈,你今天下午出去吗?"向媛躺在床上有气无力地问。

"没事我出去干什么? 不出去。你问这个干什么?"

"你不去阿姨家吗? 你们都退休了,姐妹关系又这么好,不去看看她?"

"你这孩子,今天真古怪,好像故意要赶我出去一样。是什么道理?"

"我昨晚没睡好,想睡个午觉。"

"你睡好了,我在外间又不会进来吵你。"

"我很惊醒的,你的手脚又重,关上门也没用。"

"你可真疙瘩。算了,吃了饭我到你阿姨家去吧。现在你给我起来吃饭。"

向媛撑起身子,感到自己有万斤之重。她蹒跚着脚步来到饭桌旁,看见中午的菜是一锅金黄金黄的老母鸡汤,一碟碧绿碧绿的炒青菜,还有两碗雪白雪白的大米饭。

"唉,你可真是饭来张口,衣来伸手。看你以后嫁到国外去怎么办,有谁来服侍你。"

向媛发现母亲说这些话的时候,眼圈红了。于是她也感伤起来,母亲到底是母亲,从心底里疼爱自己的孩子。

"我在国外立住脚以后,会把你和弟弟接过去的,到时候我们一家三口又可以团圆了。"

母亲没有接腔,默默地吃着饭。

收拾完碗筷,母亲穿上外套,对向媛说:"好好睡一觉,我走了。"

向媛感激地点点头:"早些回来。"

"晚不了。晚上我还要烧一个干煎带鱼和一个炒双菇呢。你弟弟每个月贴这么多饭钱,可不能亏了他。"

母亲关上了门。

孩子可真是妈妈的宝啊。向媛心想。她同时也想到了自己肚子里的这个孩子,虽然是个孽种,可总是自己身上的一块肉啊。

向媛痛苦得如痴如醉。

这个时候,她的 BP 机响了,她渴望是陈名,如果真是他在百忙之中打来问候的,那自己失败暗淡的生命中至少还有一点亮光。

果然是他。她本想支开母亲痛骂他一顿的,可是电话一接通,她马上泣不成声起来。

"向媛,怎么了,真的怀孕了?"陈名一遍遍地问道,向媛只是痛哭着,一言不发。

"向媛,你说话呀。你想急死我呀?"

向媛慢慢止住了哭声,带着一两声抽泣问:"我有了你的孩子,你说怎么办?"

"我当然希望你生下来,因为我们迟早都是要结婚的。可是你吃了那么多药,孩子不是畸形也是傻瓜。反正我们的好日子还长着呢,这次只好委屈你打掉了。向媛,请明白,我不是在推卸责任。就算你我已经结婚,我也同样要求你打胎的,因为你服过很多避孕药。"

陈名的几句话直抵向媛的要害,且极具杀伤力。这个孩子只有一个命运,那就是被打掉。就算没有服过很多药,也没有被生下来的可能。因为营造他的父母之间没有爱情,只有策略和阴谋。

"可是打胎是很疼的,我怕疼。"

"现在有无痛人流,我们就做这个好了。听说费用很高,不过放心,我会负担的。"

向媛心中想好好地痛骂他一顿,一开口却是极通情达理、极软弱无助的一句:"我要你陪我去。"

"当然,就是再忙,我也会陪你去的。我是罪魁祸首嘛,何况你现在又是我最爱的人。"

"你说的是真的? 我真的是你最爱的人,超过林娓聪?"向媛苍白的脸这时候燃出了兴奋的红霞。

"天地为凭,日月为鉴。我说的话千真万确。"

我的努力没有白费,我的牺牲也不是平白无故的。谢天谢地,福兮祸所伏,祸兮福所倚。向媛那漆黑的睫毛上还闪烁着晶莹的泪珠,可是她的双唇已经绽开了一丝微笑。

22

"来，你们两个，把裤子脱了，穿上裤套。卫生巾粘在内裤上，放进上衣口袋里。然后到消毒室里去准备消毒。"

小巧玲珑的护士的嗓门倒是惊天动地，把原本就紧张不已的向媛又叫出了一身冷汗。虽然是做无痛人流，可她还是极其害怕，怕得整个人都在发抖。

"来，把塑料纸垫到屁股下面，躺上来。"可能是看见向媛的脸色煞白，护士总算放低了嗓门，挂上一抹亲切的笑容。

向媛哆哆嗦嗦地爬到那张铺着雪白床单的病床上，依言张开大腿。此时，羞愧淹没了她的全身。

护士一边用冰凉的消毒药水擦拭着她的下身，一边说："别紧张，放松，没什么好怕的。你们都是做无痛人流，进手术室后睡一觉什么都结束了。"

向媛慢慢放松下来，就在这个时候，她感到一根冰冷坚硬的长棍子直插她的体内，在里面不住抽动。她痉挛起来。

"哎，放松放松，你夹得那么紧，叫我怎么消毒啊。"护士叫道，"别怕，只是有点不舒服而已，我在给你做阴道冲洗。"

可是向媛无论如何也放松不下来，护士只好胡乱给她消了一下毒,命令道:"到里面那间房间里去,先称一下体重。"

心惊胆战地称完体重,向媛躺到手术床上去,她一直在发抖。

"叫什么名字? 多大年龄? 生过小孩吗? 结婚了没有?"

回答完医生的几个问题,向媛羞愧得无地自容,特别是说出自己未婚先孕,简直就恨不得找个地洞钻进去。但医生听后,却毫无反应,可能已经是见多不怪了。

向媛躺在床上环顾四周,目力所及,似乎无一不凄凄切切,无一不惨惨淡淡。雪白的墙、雪白的被单,雪白的医务工作者的衣服,就像是在没有生命的太空里。她的小 BABY,那个无辜的牺牲品,即将在太空中被幻化、被消灭。

"妈妈,不要抛弃我,不要杀死我。妈妈,救救我。"

那些可怕的呼喊声,如穿过棉花一样,喑哑而又虚幻地钻进向媛那千创百孔的大脑里。

不要手术,我要把他(她)生下来。向媛心惊肉跳地喊道。她以为她喊出声来了,其实只是把嘴巴张得大大的。

麻醉师看了看向媛的这个奇怪的表情,然后执起她的手,将麻药推入隐藏在雪白的皮肤中的淡青色的静脉中去。

向媛绝望地咬住嘴唇。渐渐的,她感觉到周围的一切都显得冷清清的,医生护士的说话声,不锈钢器械相碰的清脆的叮当声,都缓缓消失了。眼前有一团白光在闪烁。接着眼皮像铅块那样沉重,脑袋也越来越昏沉,最后什么都不知道了。

灭子过程仿佛经历了一个世纪,其实不过才十分钟。当她被医生从睡梦中叫醒的时候,才知道一切都结束了。她的孩子,父母罪恶的种子,已经被连根拔除了。就像从来没有到来过一样,不过是午睡时,做了一个小小的噩梦。

"把内裤穿起来,到外面的观察室去躺一会。"医生嘱咐道,"休息完了后,到药房去领药,一到家就服用。"

我刚才就叉开双腿,这个姿势一直保持了十分钟? 私处在众目睽睽之下接受宰割? 并且这个做记录的老头子就一直坐在自己身边? 向媛双膝一软,倒在地上。

"哎,你怎么了?"正站在身边的麻醉师扶起她,"我扶你出去。"

向媛在麻醉师的搀扶下来到观察室,当她躺下的时候,突然用一种绝望的语调问:"医生,听说很多人第一次打胎后导致今后不孕,我会不会也这样?"

麻醉师的声音在向媛越来越绝望的情感里传到她的耳畔,就像一位友人柔情的絮语:"放心吧,手术很成功,回去后只要注意休息和卫生,不会有事的。不过以后可要注意了,在这种事情方面总是女人吃亏的。"

望着麻醉师离去的背影,两颗泪珠滚落下来,被充盈着消毒水味的枕头吸收了。

她躺在床上,就想一直这么躺下去,直至世界末日。但她发觉她身上隐藏着一个骚动不安的魔鬼,时而把她像搓麻绳似的搓来搓去;时而又把她点燃,像一束熊熊燃烧的火苗似的抛来抛去。

她最终受不了这种折磨,强撑起软绵绵的肢体,穿好衣服,迈着蹒跚的步子向外面走去。

"媛,手术做好了? 没事吧,我很为你担心呢。"见向媛恍恍惚惚地走出来,一直等在外面的陈名跨出一大步扶住她。

向媛没有说话,她在陈名小心翼翼地搀扶下来到大街上。她抬头看着天空,天空一片湛蓝,只有断断续续的云片在穹隆里依稀抹下几缕淡白,宛如漆工试漆时涂出的几笔。肉体和精神都受到严重伤害的向媛把自己的身心沉浸到大自然里去,她发觉,天空和大地也是忧郁的。

"媛,我送你回家吧。做过这种手术的人是要休息半个月的。"

"我哪有时间休息?"向媛突然说,"我要上课。"

"你请个假不就得了? 让别的老师先代你几天。"

向媛苦笑一下:"说得轻巧,现在人员很紧张,临时是找不到老师来代替的。"

"可你总不能就这样去上班吧? 身体会搞垮的。"

"有什么办法呢?"

陈名一时间感到胸闷气促,他感到一种来自体内的深深的负罪感。他想保护这个弱女子,却无从下手。

"你工作忙,就让我自己'打的'去学校吧。"

"不可以。"陈名冲口而出,"你在拿自己的身体开玩笑。如果你把身体搞坏了,我就是在地狱里也不会安心的。"

"不要自责了。这种事情也不能怪你一个人,这是我们两个人的事。放心吧,下班后我会注意休息的。"

面对向媛的宽宏大量和善解人意,陈名的舌头打了结,气也换不过来,要不是在光天化日、众目睽睽之下,他简直就要跪下去膜拜她。

向媛伸手招了一辆出租车走了,陈名试图拉住她,但还是被她挣脱了,从远去的车内依稀看见她那淡蓝色的衣服在晃动。陈名突然觉得她就像一个女神,她的音容笑貌一整天都在他的心中萦绕,似乎蕴涵着一种美妙而神秘的含义,在她的潜在语中有一种令人痛心而又深不可测的意味。她那淡蓝色的气氛和迷人的隐秘笼罩着他。

向媛让司机直接把车开到家里,她为刚才自己的演技而叫绝,这是上天让她出演的第三十四计——苦肉计。她从陈名的表情看出来,成功的日子已经不远了。

从倒车镜里,她看见自己的脸色像生病一样,白得像透明的蜡,眼睛无神。她疼惜起自己来了,还有她的那个孩子,如果这个孩子不是在非常时刻到来的,她说什么也会生下他的,因为她很想当妈妈。向媛痛苦地撑住发烫的额头,欲哭无泪。即使成功地完成了计划,她付出的代价也已经太大了。

走进家门,母亲看见她惊叫了一声:"你的脸色怎么这么难看?是病了吗?"

"没有,是我的'老朋友'来了,可能是晚了好些天,所以感觉特别不舒服。我想睡一下。"

"好好,我去给你铺床。"

向媛从穿衣镜里看见母亲的脸黄里泛黑,这使她的皮肤几乎显现为深褐色,于是女儿的脸衬在她的旁边,就像死人一样。

向媛逃避一样躲进了卫生间,等她换了一张卫生巾出来后,看见母亲已经把她的被子伸展开来,并且放进了一只热水袋。

向媛躺进暖烘烘的被子里,感受着母亲的关怀。她阖上眼睛,没有排泄干净的麻药起了非凡的作用,让经常失眠的向媛睡得死死的,就像要把这些日子以来的、身心的疲劳感从每个细胞中一滴一滴挤出去似的。

23

母亲在忙着打扫屋子,烧一桌子的小菜,因为沈一允马上就要来吃午饭了。

向媛对着穿衣镜,不断地打扮修饰自己。但无论怎么掩盖,她总觉得自己和以前不一样了。脸蛋虽然漂亮了,但脸上似乎经过荒淫无耻生活的无形削刮,留下了屡屡接受庸俗满足的印记。沈一允会看出来吗? 向媛挤出僵硬的笑容,那就更不像自己了。向媛恐怖地叫起来:"妈妈。"

"什么事?"听见她的尖叫,母亲慌不迭地跑过来,手中的抹布也来不及放下。

"我是不是很丑? 沈一允会失望的。"

母亲仔细看了一下她的脸,嗔怪道:"我当是什么事呢,大呼小叫的。什么时候你变得对自己这样没有信心了? 化完妆的你看起来明艳光辉,沈一允能娶到你,真是他前世修来的。"

母亲,如果你知道你的女儿已经早就不是处女了,并且在半个月前刚刚打过胎,浑身伤痕累累,你还会说这些话吗? 向媛心想,于是她的笑容显得尴尬而苦涩:"妈妈,你说我穿哪一件衣服好呢?"

"照我说呀,你就穿最普通的衣服,不要化妆最好,朴素的穿扮反而能显出你天生的美。沈一允第一次看上你的时候,你就一点都没有打扮。"

母亲,那时我纯洁而滋润,因而不打扮反而是最好的打扮。但这一年来我经历了太多磨难,早已憔悴不堪了。如果不靠胭脂红粉来掩盖自己,几乎都不像人了。向媛看着母亲朝厨房走去的背影默默诉说着。

她换上了一套浅蓝色的衣服,那是半个月前做人流时穿的一套衣服。她自己也不明白为什么要穿这样一套衣服,也许是它能衬得她格外美丽,也许她是在提醒自己有个罪恶的肮脏之躯,惟有好好地对待沈一允,才不会亏欠他太多。

她放了一盘磁带,让萨克斯忧伤的曲调在破旧的屋子中盘旋回荡,她把自己的身心也沉浸下去了。

在她的眼角感到有些潮湿感的时候,与音乐声混在一起的电话铃响了。她关掉录音机,接起了电话。

"向媛,我马上就到了。"是沈一允那中性的声音柔和地在耳边响起。

"我早就在等你了。快来吧。"

放下电话,向媛的心因为激动和紧张而突突猛跳,她为自己的这个反应而感到高兴,自己终于对沈一允有感觉了。她仿佛看见婚后夫妻恩爱的灿烂前景在她面前铺展开来。

门铃才响了一下,向媛已经飞快地打开了大门。看见她,沈一允吃了一惊,一向素面朝天的向媛搽了非常鲜艳的唇膏,红得发腻的嘴唇虽然还留着一点少女的任性神情,却使人想起吸收了太多阳光的夏日葡萄。

"怎么了? 我这样打扮不好看吗?"

"不，简直是太美了，都让我自惭形秽了。"

向母听见动静从厨房里走了出来，准丈母娘和准女婿寒暄一阵后，摆酒上桌。一时间，小屋中散发着各色佳肴的甜丝丝的香味。

三个不会喝酒的人为了庆祝都喝了一点酒，沈一允从菜肴的热气和醉眼朦胧中把未婚妻打量了好一会，觉得她妙不可言。

"还有一条清蒸桂鱼，现在一定好了，我去端来。"向母说着，朝厨房乐颠颠地走去。

向母一离座，沈一允马上执起向媛的手，轻轻抚捏："媛儿，你真的就要成为我的妻子了吗？我简直不敢相信我会这样幸运。"

沈一允抚摩着她的温暖的手如同电流通向向媛那冰封已久的心灵，让她感慨万分地发问："一想到我马上就要结婚了，我的心中就会有一种狂喜。你呢？有没有狂喜的感觉？"

当度过了美好年华，跨入了人生的中界线和成熟期的门坎之后，沈一允不会再有年轻人才有的强烈的狂喜，他的心永远平静，即使有天大的事情发生，也只是波澜微起。

看着沈一允微笑点头的样子，向媛知道他没有那种狂喜。

母亲把清蒸桂鱼端上来了，嘴巴一直都合不拢，看来这里真正狂喜的只有她一个人。向媛虽然仍然面带浑如精美的人造花一般的客套的微笑，但那双眼神分明显示出愠怒。一个相貌平平，情趣平平，年龄颇大的人即将成为她的丈夫，却并不是特别高兴，仿佛只是谈成了一笔生意，一切都在意料之中。

"伯母，我这次的假期很短，马上又要飞回美国了。我想

194

抓紧时间,今天下午就和向媛把结婚证书开出来。您同意吗?"当桌上只余下残羹剩饭的时候,沈一允提出了请求。

"怎么会不同意呢? 早一天晚一天,结果还不是一样。我把女儿交给你这样一个稳重的人,放一百个心。"向母乐呵呵地说,"你们现在就去吧,我来收拾碗筷。记着一起回来吃晚饭,向媛的弟弟也在。别在外面的饭店浪费钱了。"

看见母亲仿佛是接到了春回大地的喜讯,向媛心里有说不出的难受。

"另外我还想和向媛去一下珠宝店。我怕我买的结婚钻戒的式样她不喜欢,所以还是让她自己去挑的好。"沈一允说着,含情脉脉地看了向媛一眼。

"去买吧。不过媛媛,你可不许挑很贵的买。"

还没等向媛开口,沈一允已经抢先一步说道:"价钱不是问题,关键是要向媛喜欢,因为结婚钻戒是要戴一辈子的。我不希望向媛有所遗憾,哪怕只是一点点遗憾。"

"那也别太浪费了,你看这次来我家,又带了那么多贵重的东西……"

沈一允打断向母的话:"快别这么说,我们马上就要是一家子了。再这么说,就显得生疏了。"

向母笑着,这回不但嘴巴咧到耳朵根,就连眼睛都眯成了一条缝。

见此充满亲情的情景,向媛忘掉了刚才的不愉快,那种舒心的感觉又在她心头像火花般闪现出来。现在的心情,就连看那扇普普通通的玻璃窗,都能看出像万花筒一般闪烁出其乐融融的、专注、静默和多变的光芒来。

"你们快走吧,别耽搁时间了。证明都带好了吧?"向母催促着。

"都带好了。"沈一允说着,露出褐色的牙齿,笑了起来。

向媛的两颊飞起两朵红云,低着头出了门。

"向媛。"沈一允叫着她的名字,追了上来,并且捏住了她的一只手。

在这柔和的春日午后,向媛感到神秘的东西在颤栗,不可捉摸的希望在悸动,她感到了一种像幸福的气息似的东西。

"我们坐几路车过去?"沈一允问。

向媛一愣,平时和陈名在一起,多半是"打的"的,没想到沈一允比陈名有钱得多,却这样节俭。也许在大洋彼岸拼搏的人,知道金钱来之不易,所以更懂得珍惜吧。

他们乘上了公交车,在颠簸中,沈一允表现出了对她的关心。看来这确实是个懂得体贴老婆的人,母亲的眼力的确不错。当沈一允的那句:"想到我们马上就可以是合法夫妻了,我感到像做梦一样。"在她耳边温柔地响起时,向媛的心湖竟有被微风吹过的惬意。

有了一个座位,沈一允赶紧把它让给向媛。向媛坐下来,眺望着车窗外向后移去的景色,眼角潮湿了。如果沈一允知道她和陈名之间发生的这一切,还会对她这样好吗? 还是马上拂袖而去? 她有一种想把这一切都告诉沈一允的欲望,也许对人无所隐瞒,反而能在今后的日子里坦坦然然。但当她看见那双爱恋和信任的眸子时,到口的话就说不出来了。因为她害怕,她已经输不起了。

从民政处出来,捧着两本通红的本子,沈一允兴奋地说:"现在我们去买钻戒吧。"

向媛点头同意,但她没有想到的是节俭的沈一允给她买了一只价值三万元的钻戒。

"其实钻戒在美国买比在中国买要便宜得多,你为什么一定要在中国买呢?"已经是一家人了,向媛感到有些心疼钱,她半是高兴半是生气地问。

"因为我想让你亲自挑。向媛你不知道你对我有多重要。"

这一瞬间,向媛好像感到包在自己身上的外壳,咔嚓一声像蛋壳一样破裂了,她的眼泪夺眶而出:"你对我实在是太好了,我为什么一开始却看不出来?"

"现在看出来也不晚啊。"沈一允替她擦掉滚落的眼泪温存地说。

不,太晚了。如果一开始我就知道你是这样一个好人,那我将用白璧无瑕的身体来回报你。可是现在我的全身没有一块地方是干净的,就在上个月我还做过一次人流手术。向媛这么想着,愧疚让她忍不住失声痛哭起来。

沈一允似乎猜出了点什么,但他没有问,只是拍拍她的后背说:"我只要你结婚后对我好一点就心满意足了。谁没有过去,过去只会让人成长。"

沈一允的说话声虽然很低,却带着一种压力。他猜出点什么来了?向媛收住眼泪,心中一阵恐慌,但当她抬头看见沈一允一双微笑的眼睛里流露出大度的神情时,瞬息之间闪出来的这层惊愕的阴影马上从她脸上消失了,眼睛里露出诧异与喜悦的光彩。

他们开始接吻,舌头相缠,深深长长的吻,爱的火花立刻迸发而出。沈一允给她的爱恋犹如一场春雨,沐浴着她流产后虚弱的躯体和心扉。

24

　　在机场送别沈一允,向媛那颗原本焦躁的,充满仇恨的心灵渐渐安宁下来了。向陈名复仇的愿望也突然淡了下来,她已经是人妇了,再做对不起丈夫的事情,到了美国还有什么脸面去面对他。她自己也想不到这样周密的计划,竟然亲手毁在自己的手中。

　　她不再主动打电话给陈名,陈名打来的电话也被她敷衍过去。

　　陈名似乎急了,他每天都要打好几个电话过来,请求见上一面。

　　向媛合上眼帘,久久沉浸在记忆的暗影里。是的,陈名一个接一个的电话在提醒着她,不要放弃复仇计划,仅差一步就要成功了。这时候放弃算什么呢? 不是太便宜这个衣冠禽兽了吗?

　　等待签证的寂寞日子,眼看就要接近尾声的复仇行动,让向媛再一次和陈名走到了一起。她约他星期六在公园相见。

　　做出这个决定,向媛似乎比勾引他时下的决心还要大。她失眠了,在失眠得使人疲乏的时刻往往会发生这种情形——种种念头、幻觉、回忆、突然的猜测、刺心的悔恨,都争先恐后地、推推挤挤地涌上来。向嫒在床上辗转反侧着,好像迷糊着睡着过一会儿,但凌晨四点钟的时候就醒了过来。她又在床上熬了一些时候,等到天色徐明,就穿衣起床,对同样早起的母亲说约了同学去喝早茶,然后出门。

她一直走到池塘跟前,水面朝雾已经消散,只有岸边一些绿阴深笼的暗处,仍然罩着一片雾气。她掏出手机,往陈名的家里打了个电话,接电话的是陈名那睡意蒙眬的声音,可惜不是林娓聪,如果是林娓聪的话一定更精彩。

"你现在就出来。"她用命令的口吻说。

陈名的声音一下子清晰了,而且还掺和着紧张的意味:"这么早?"

"怕老婆了?"一丝鄙夷的神情出现在向嫒嘴角。

"哪里,我只是说太早了。"

"我再等你半个小时,过时不候。如果失约,从此后不要再来找我,打搅我。"向嫒说完,立即关了手机。她看了一下手表,如果半个小时后看不到陈名,就证明他们之间的孽缘结束了,从此天各一方,只当是做了一场噩梦。但如果陈名在半个小时之内到达,就证明这是天意,上天要作孽的人付出代价。

向嫒走到公园门口,时间还太早,园门紧闭着,但清晨的凉风把园内草丛的又浓又醇的芳香送了出来。向嫒从铁栏杆的粗大缝道往里看,只见花坛内、草坪上的草尖上都聚着露珠,在阳光下,像万颗珍珠,闪耀着晶莹灿烂的光辉。她用力吸了几口气,真是沁人肺腑。

不多时,公园门口的人群就像蚂蚁窝里精力充沛的蚂蚁一样熙来攘往了。快到开门的时间了,向嫒抬腕看了一下手表,仅剩五分钟了。这时候她的感觉就像一个即将纵身入水的泳者,充满着期盼和兴奋。何去何从,马上就要见分晓了。

"因为我不小心让你怀孕了,你就用这种方式来折磨我吗?"陈名的声音突然出现在身后。

向媛的心一紧,猛地转过身去,眼睛睁得大大的:"你还是准时来了?"

"女皇的命令,我怎敢不服从? 何况我想你想得发疯。"自从向媛做了人流后,就一直没有见过她,一个月的煎熬让陈名度日如年。现在重新又看见了心爱的情人,他的样子就像小耗子出了洞穴一样的活泼。

这是天意。向媛痛苦地微皱起眉头蠕动了一下嘴巴。

"你说什么?"

"没有。哦,我说我们进去吧。"向媛声音软得像棉花糖。

"我先去买几个肉包子。"陈名话音刚落,人已经飞快地跑到旁边的点心店,买了一塑料袋热气腾腾的包子。

"吃肉的还是吃菜的?"买完包子,用最快的速度转回来的陈名问道。

向媛仰头望着一阵风一样来去的陈名:"你怎么知道我没有吃过早饭?"

"我只当你没有吃过。"这是以前向媛爱说的一句体贴入微的话。

向媛的鼻尖不争气地一酸,她掩饰地转过头:"我们进去边走边吃吧。"

陈名大口大口地嚼着肉包子,看来似乎饿坏了。他的吃相感染了向媛,她感到舌下生津,也一连吃了两个。

陈名像扔篮球一样扔掉塑料袋,叫了声:"吃得太饱了。"

塑料袋飘飘荡荡地落到向媛脚下,她弯腰将它捡起,扔进了前面的垃圾箱。

　　陈名尴尬地笑了一下:"你这又是何必呢?"

　　向媛冷冷地瞪着他:"你的素质总是这样差。"神态傲慢,叫陈名置身无地。他发现人流后的向媛像变了一个人。他不知道半个月前有过她和沈一允结婚的那一幕,他只当是向媛在埋怨他让她怀孕打胎的事情。打胎后的向媛体形一点没变,似乎更有味道了。一根黄色的腰带勾勒出她苗条的身段。

　　"林娓聪什么时候生?"向媛嗓音干涩地问。

　　"再过两个多月。"

　　向媛停下脚步:"莎士比亚在《麦克白》中说道:人生不过是一个行走的影子,一个在舞台上高谈阔步的可怜演员。你认为对吗?"

　　"我不明白你的意思。"陈名觉得她越来越古怪了。

　　愤怒的眼泪浮现在向媛眼眶里:"你玩弄我的肉体,许下的却是空洞的承诺。"

　　"我说过的,只要林娓聪一过哺乳期,就提出离婚的。"

　　"那得等到什么时候? 如果我再一次不小心怀孕了呢?难道你还要我去打胎?"

　　"好好好。"陈名做投降状,"只要林娓聪一把孩子生下来,我就把我们的关系和她挑明,这总行了吧?"

　　"你说的是真的? 没骗我?"

　　"我发誓。"

　　向媛这才善罢甘休。

　　"现在我们可以谈些轻松的话题了吧?"

　　向媛将一急一缓的策略紧抓在手里,她的声音又无比温柔起来："我不想使你为难,我也决没有逼你的意思。只是在节假日,或者是空闲下来的时候,我就特别想念你,有一种强烈的形影相吊的孤独感。反正,你是不会理解的。你只注重性,你哪里知道感情的重要性。"

陈名见向媛说得如此真切凄凉,不由心中也酸楚起来,他感到眼睛里有东西要落下来。忠孝不能两全,还有什么事比这个更让人为难的? 一边是贤惠美丽的妻子,一边是脆弱痴情的情人。前面是一个大花坛,绿油油的叶子,红彤彤的花朵,构成了一片鲜艳的地毯似的图案。难道自己真的还要再踩一次红地毯,举行一次婚礼? 这种问题实在不能往深的地方去想,越想越让人觉得心悸。男人需要的是情人,而不是一次又一次的婚姻。

太阳沉落在一大片雷雨云后面。

"今天的天气真怪,刚才还好好的,现在怎么要下雨的样子。媛,我们换个地方吧。"

"去哪里? 旅馆?"向媛的嘴角浮现一层讥讽的意味。

虽然那正是陈名最想去的地方,但他知道如果此时点头说是,一定会伤透向媛的心。就在上个月,他的情人刚刚接受了一次身心的折磨,于情于理,他都不能再伤她的心了。他凝视她的双眸,那对灵魂之窗深沉无比,充满了秘密:"听着,向媛,我不是只爱你的身体,我爱的是你整个的人。你究竟明不明白,我是个有感情的人,而不是种马。"

向媛突然笑了起来。看见她笑,陈名像松了一口气一样也笑了起来。

"我们去逛街吧。"

"你的身体行吗? 别累着了。"

"真的是关心我还是怕被她看见？"

"你看你又来了，看见不是更好吗？省得我说了。"见向嫒老是把话题往这上面扯，陈名的心绪就立刻又烦闷起来了。

"好了，别生气，都怪我不识好人心。"向嫒把胳膊伸进陈名的胳膊里去，温言软语道。

陈名的身子一酥，笑容马上回到了脸上。

公园里渐渐暗了下来，到处都荡漾着嫩叶的香味，他们在杨柳、香樟的树枝下穿过去。

向嫒看见前方有一对夫妻牵着一条小狗，它一直在快活地摇着尾巴。向嫒心里不由生出些感慨来：做人有这么多的烦恼，倒不如做一条哈巴狗来得自在。看来思维复杂还不如思想单纯的好。自己本来是个思想单纯的人，在遭受打击之后变得复杂起来。这大概就是人和动物的不同之处，狗再怎么经受打击，也不会把本性都改变了吧？

"我们不要在公园里转来转去的了，还是出去找个地方坐下来吧。"陈名再次提议。

如果能这样一辈子挽手走下去该有多好啊。向嫒想。同时也被自己这个想法吓了一跳。怎么会有这样的想法呢？他是你的仇人，你对他只有恨，你这样做不过是在演戏而已，是为了好好地报复他。你已经是沈一允的妻子了，可你怎么会产生这样的念头呢？

"这一个月，你想过我吗？"向嫒突然问。

"何止是想过。我简直到了看草场上的每茎嫩草都是你的睫毛，空气中一切的闪烁都是你的眼睛的程度。可每次打电话给你，你都爱理不理的样子。我以为你已经不爱我了，你不知道我有多痛苦。"

不管这句话是真是假,向嫒都感到心满意足了。她看见草丛中有一朵小野花开得格外调皮可爱,她想伸手去摘下。可当她准备把手从她的臂弯中撤回时,发现陈名用胳膊肘轻轻地夹紧她的手,心照不宣地表示他不愿意她释手。向嫒甜蜜地一笑,把头靠在他的肩头,更亲密地走在好像铺了一层褪了色的棉绒软垫一样的长满褐色苔藓的石子小径上。

　　一道曲折的电光,从天空的这一头直闪到那一头。

　　向嫒一阵心惊胆战,难道自己的做法把天也激怒了?她把双手按在胸口上:老天可怜,如果天也有情的话,一定不会怪罪我的,我这样做也是情非得已啊。

　　"不好,看来这场雨还不小,我们赶紧出去。公园里到处都是大树,打起雷来是很危险的。"陈名紧拉着向嫒朝出口处快步走去。

　　天空闪电频繁起来,伴着忧伤,一浪一浪地冲击着向嫒的大脑。爱与恨的纠缠,把她折磨得苦不堪言。

25

空气干燥而明净,微风吹拂着树叶,发出沙沙的声音。经过一夏的林娓聪的心越来越烦躁,丈夫不是上班就是加班,根本就无视她的存在。而预产期已至,胎儿却毫无要出来的迹象。医院已经明确发出通知,住院接受催产。

陈名将她送入医院后就走了,似乎很高兴她能住院,连一句关心的话也没有,连一小会也不愿多坐。同一病房的大肚婆们天天有老公陪着,看见她总是孤单一人,不免好奇地询问。林娓聪每次都强装笑脸地说先生为了孩子而在拼命赚钱。于是她听到许多同情她的空话,却跟侮辱差不多。

虽然已经是九月初了,医院里的蚊子却依然成群结队。蚊子、寂寞、担心——几乎使林娓聪想不顾一切地大吼一声,而她的丈夫的整颗心就像被人给偷走了,成天把她一个人扔在医院里不闻不问。与丈夫越来越淡漠枯燥的情感生活使林娓聪犹如跋涉在沙漠,所有的芬芳与浪漫都离她远去。随着她的肚子越来越大,她在他的心目中的地位已成了一片枯叶,轻如草芥。不知从何时起,她和丈夫的两颗心之间发生了裂缝,似乎有一件什么东西夹在那儿,她愈是想靠近些,中间的那个障碍物就愈是撞击她的心。这究竟是为什么？问题到底出在哪里？仿佛自己在丈夫面前一下子变成了空气似的。

从医院的窗外可以看见大街，五彩缤纷的霓虹灯一亮一亮地闪烁着，使人更为烦躁不安。为什么陈名到现在还不来？林娓聪无法再等待下去了，她跑到走廊上的投币电话前，拨通了陈名的手机。

"今天真抱歉了，有个客户到上海来，我得陪他。"

听见丈夫又是这句话，林娓聪几乎要昏倒了，她用乞求的声音说："你就来一小会吧，我很想你。"

"可我真的跑不开啊。明天吧，明天我一定来。"

林娓聪的眼泪"唰"地一下流了下来："明天，可今天怎么办？今天看不见你，我会死的。"

"不要再无理取闹了，我忙得很。再见！"

陈名绝情地挂上了电话，愤怒淹没了林娓聪的全身。真的就忙成这样了吗？连一丁点时间都抽不出？陈名，你太过分了，太不把我当回事了。可我还在为你家传宗接代而背负包袱。

林娓聪双手按在隆得高高的肚子上，在心里狂喊一声，为什么你还赖在里面迟迟不出来？都是因为怀着你，才让你的爸爸这样疏远我。

一股无法抗拒的冲动让她从楼梯上直跑下去，又从下面飞快地跑上来。她一圈一圈地跑着，痛苦无法用言语来形容，她的胸腔都在痛。突然一个趔趄，她摔倒了，一声声撕心裂肺的抽泣声在医院大楼的一隅传出来。

陈名"啪"的一下挂断手机。向媛的唇角现出满意的笑容,她一把夺过手机,把它给关了,然后远远地扔在沙发上:"这样不是更好吗? 省得她来打搅我们。"

"如果能以此来点缀你心中欢乐的花朵的话,我很高兴能这么做。"陈名突然把向媛紧紧地搂住,弄得她浑身的骨头都好像嘎嘎地响起来了,可是她越发朝他的心上贴拢去。

"我以前总觉得你像一块石头,没想到一经开采出来,原来是一个风情万种的骚货。"陈名把她压倒在床上,恶狠狠地说。

向媛感到自己体内情欲的浪潮阵阵袭来,她呻吟起来。这种鹊巢鸠占的感觉实在是太美好了。

陈名用那双老练而有力的手,从她身上剥下了长袖连衫裙。看见她的裸体,他的眼睛里立即闪出光芒。

啊,和陈名做爱的感觉实在是太好了。可那不过是眩目的灯光下浸润着七彩的肥皂泡,摸不得、触不得,却仍然免不了破灭。

想到这里,如浪的情欲潮水般退去,只留下一阵又一阵的悲伤。

电话铃声震耳欲聋地响起来,把正沉醉在温柔乡里的两个人吓出了一身冷汗。

"妈的,谁这个时候打电话进来?"陈名骂着,正欲去接电话。

"别接。万一是你老婆呢? 试试看你是不是在家,看看你有没有撒谎骗她。"向媛伸手阻止他。

陈名的声音里透着钢铁般的信心:"绝对不会,她太信任我了。"说着,已经把电话接了起来。

"喂,是陈名吗? 我是医院里。林娓聪摔了一跤,已经见红了。她快要生了,你们家属赶快来吧。"

"好的好的。"陈名急急挂上电话,边穿衣服边对向媛说:"她快要生了,医院让我马上去。"

一股强烈的嫉妒涌上心头,向媛张开双臂抱住她,娇嗔地说:"不要走,我要你陪我。"

陈名心急如焚:"哎呀,医院里说林娓聪是摔了一跤才要生产的,我怕我儿子会有影响啊。"

"反正有医生嘛。你去又不顶用。"

"可我去了就知道结果怎么样了,不然我心里七上八下的。"陈名说着把向媛的衣服一股脑地丢到她身上,"快穿上。我先送你回家,然后再去医院。"

看见陈名那个忧心如焚的模样,向媛心中有说不出的难受和不甘,她愣愣地看着那堆衣服,一动不动。

"快点吧,我的小姑奶奶,你不会这样不通情理吧?"陈名几乎想帮她穿衣服了。

向媛叹了一口气:"真是'来时欢笑,去时悲哀'啊。"

"不要悲哀,无论发生什么事,你在我的心目中永远是排在第一的。"

"真的?"向媛抬眼看着他,"比你儿子还重要?"

"对,比他还重要。"

"那我要你再陪我一会。反正也不差这点时间。"向媛说着,把身体又偎了上去,在他耳边说着一些悄悄话。

不料她勾引撩拨的话语,卖弄风情的眉眼,完全不起作用。陈名只是一副心不在焉、心神不定的样子。向媛失望了,她沮丧地说:"你走吧。"

其实陈名也不是一点不为所动,此时的向媛看起来脸蛋漂亮,扭动的身腰也好看,那双眼睛望起人来更是较平常要肆无忌惮。而且声音如蜜,笑容甜美。如果是在平时,他老早就任情欲驰骋,把她摁倒在自己的身体底下,恶狠狠地驯服她了。可现在有一件比情欲和爱情更重要的事情在等待着他,所以他必须对这一切都熟视无睹。

陈名向向媛弯下腰去,吸着她的香气,把手抄在她的脖颈后面,将嘴唇贴住她的嘴唇,吻了一下说:"今天对不起了,我一定会补偿的。"

向媛怏怏地穿上衣服,两人来到楼下。月亮透过云层,将它柔和的银光撒在平静的大地上。

"月色真美。"向媛说。

"走吧。那里有一辆出租车。"陈名推了她一下,率先跑了过去。

向媛�‌起嘴巴,无奈地跟了上去。

"我和你一起去医院。"在车上,向媛突发奇想。

"不行。"陈名断然拒绝。

"为什么?"向媛怒火中烧。

"我怎么向我家里人介绍你? 不要多事了。以后我会把你带给我的父母认识的。"

"你总是在敷衍我。"向媛高声嚷道。

"唉。"陈名捧着头叹了一口气,"请你理解我。如果你是我,你会怎么样?"

"我不会是你。"

争吵在池塘边停止。向媛稳坐不动。

"小姐,该下车了。"陈名拖长音调说。

向媛突然贴近他的耳朵说:"我会记住今天的,我们美好的爱情和秋夜柔和的月色交织在一起。"

还没等陈名回过神来,她已经翩然而去了。他摇摇头,心中甜丝丝的。关上车门,直抵医院。

肚子疼得一阵紧过一阵,林娓聪忍不住大声呻吟起来。

"你怎么了?"一个年轻的护士走过来问。

"快推我到产房去,我大概要生了。"

护士把手伸进她的下身,测了一下宫开几指,然后二话没说,把她推进了产房。

林娓聪躺在床上,痛得死去活来。可是一堆的医生护士,却没有一个人理睬她,全都聚拢在一起谈论着什么。对产妇的痛苦,助产士们早已司空见惯到了麻木的地步。产妇在她们眼里,连条狗都不如。

"医生,医生。"林娓聪大声叫喊着。

"叫什么叫?你自己用力生呀。"一个四十多岁的、身材矮小的助产士冷冷地在远处说道。

林娓聪哭泣起来,她不知道该怎么生,该怎么用力。"医生,给我剖腹产吧。"

"那可不行,都到这程度了,已经不能剖腹产了。"那个助产士总算走过来了,把她的两条腿固定好位置,"肚子疼的时候就用力,不疼的时候就养精蓄锐。知道吗?"

陈名,你在哪里?林娓聪在心里绝望地叫喊着。她的肚子已经越来越疼了,疼到无法忍受的地步。疼的时候就用力。可是一到疼的时候,她就用不出力来。巨大的痛楚铺天盖地而来,她大声叫起来,泪水随之而下。

"来,吃点饭。晚上的饭你都吐了,现在补充点能量进去。"一个小护士端着一碗饭菜过来说。

那个矮小的助产士对林娅聪说道:"是的,你必须吃饭。"

天哪。这么疼,怎么还能吃得下去? 她们难道都没有生过孩子? 不能理解吗? 林娅聪摇着头,只顾叫喊着。

"不要再制造噪声了。"助产士冷酷无情地训斥道。

林娅聪的眼泪滚滚而下,这个时候她想就此死去。

"来,喝点水也好。"小护士同情地倒了一杯水过来,把麦管送到她嘴边。

林娅聪什么也不想喝,但她又不敢不喝,她像拧出的螺丝一样伸长了脖子喝了一口水。

"很好。"助产士满意地说,"再喝,多喝点。"

"不要。"林娅聪摇着头,枕头已经被她的汗水和泪水打湿了。

"快喝,听见没有,配合一点。"助产士不耐烦地说。每天看数不清的大肚子女人,听她们撕心裂肺的叫声,真是窝火透了。

林娅聪一口接一口地喝着冰冷的白开水,徒劳地想让非人的世界由于习惯而成为人的世界。而她的膀胱中已经出现尿意了,这在痛苦中又增添了一种难受。

手术正式开始,剪子在她的身体最敏感处剪下一道口子,她却丝毫没有感到疼痛,子宫收缩的疼痛早就超过了世上的任何一种疼。

"用力,用力,已经看见头发了。"助产士兴奋起来,她的双手使劲按住林娅聪的肚子。在她粗暴的魔掌下,林娅聪像一个无助的娃娃。

疼痛似乎无休无止,而她的孩子丝毫不能体谅母亲的苦楚,留恋在温暖黑暗的子宫内,催之不出。偶尔露一下头,又赶快缩回去了。

"救命啊,救命,医生,求你救救我。"林娓聪觉得此时已是求生不得,求死不能,连她自己都不知道自己在喊些什么,只希望能快快结束这种折磨,不管用什么方法。

"现在只有你自己才能救自己。"助产士冷酷无情的话仿佛来自遥远的地狱。

林娓聪叫喊着,用力着。突然,一股热浪冲出体外,婴儿呱呱坠地。

"生了个小弟弟。"助产士面无表情地将一个黑红交加的小东西举到她面前,"待会洗干净了给你抱一会。"

"这个儿子生得可真辛苦。"小护士在一边为她高兴并同情着她。

月亮钻出了乌云,银光直泻。

"给你抱一会。"助产士把已经穿上小衣服的婴儿放到林娓聪的胸口。本来一直嘹亮号哭的小东西一到母亲怀里,马上止住了哭声,并且露出一个喜悦的笑容。

已经会笑了?已经认得谁是妈妈了?多么可爱的小家伙啊。林娓聪怀着无限的惊喜,双手轻轻地抱着他,生怕把这个娇嫩的生命给压坏了。才刚刚出生,他的一双眼睛就已经睁得滴溜溜的了,好似一个人间精灵。

下身在接受缝针时锥心地痛,每一针都让她的额头渗出一颗汗珠来。林娓聪咬紧牙关,眼睛紧紧停留在她的儿子身上,巨大的母爱让她战胜疼痛,没有叫出声来。

助产士边缝针边对她说:"孩子已经给你放在胸口上抱过了,这叫初吮吸。听见了没有,一会儿有人来问起,你知道怎么回答吗？把我刚才的话再重复一遍。"

原来不是善心发现，让她抱抱孩子，而是为了应付领导。林娓聪苦笑一下，把初吮吸的话又重复了一遍。

"好了。"助产士大功告成地从她手中抱走小家伙，放在旁边的小床上。一离开妈妈怀抱的小婴儿立即又拉开嗓门，发出青蛙叫声似的哭声来。

林娓聪的心里泛起一股柔情的伤感，她多想能一直抱着他啊。

当她被推出产房的时候，看见陈名满脸欢笑地跑过来迎接她，并且张开双臂说："老婆，你受苦了。"

一时间，林娓聪感到海阔天空，所有的痛苦和烦恼都离她而去了。

被送进双人病房的时候，林娓聪看见另一张床上已经躺着一个产妇了，她比林娓聪早进来一个小时。她裹着一套蓝竖条纹的医院里的衣服，面色苍白，一动不动地躺在床上。

林娓聪的家人交代了几句，为了不影响其他产妇休息，都回家了。

林娓聪关上灯，病房里好像琉璃溶化了似的，荡漾着朦胧的月色。

林娓聪亲了亲小床上熟睡的儿子，躺了下来。她阖上眼睛，体力的过分消耗让她很快进入了梦乡。

一阵阵的呻唤声把她从睡梦中惊醒，仔细听了听，原来是旁边的那个产妇。

"她怎么了？"林娓聪惊问护工。

"她生的儿子有七斤八两，生的时候把下面全撑裂了。还好，你的儿子瘦小，不然你现在可没这么太平。"

护工的话和产妇痛苦的哼哼声让林娓聪胆战，做女人太不容易了，男人是怎么也体会不到的。当想到陈名这些日子的冷淡，林娓聪更感到心寒。虽然疲惫，她却再也无法入睡了。

天边已经透着朦胧晓色，那个可怜的女人还在呻吟。

26

　　嘀铃铃,清脆的电话铃声响起。

　　躺在床上坐月子的林娓聪看了看四周,丈夫在洗澡,新请来的保姆买菜去了。她支撑起虚弱的身子爬起来走到客厅,可当她刚拿起电话"喂"了一声,对方就挂了。

　　又是骚扰电话。林娓聪嘀咕了一句,继续上床躺着。可当她刚一躺下,骚扰电话又来了,可等她爬起来去接,一听到她的声音,对方又挂了。如此反复几次,林娓聪已是气喘吁吁。

　　"谁的电话?"听见动静的丈夫从浴室里走出来,边穿衣服边问。

　　"又是骚扰电话。"林娓聪的话音刚落,电话铃又响了。陈名赶紧跑到客厅去接。早已是满心疑惑的林娓聪竖起耳朵偷听着。

　　"喂,怎么是你?"是丈夫那压到最低音量的声音,"她已经在怀疑了——好了,不要闹了,一会儿我给你去电话。"

　　陈名挂断电话,装得若无其事的样子来到卧室,还没来得及说话,电话又响了,他一个转身又跑回去接。

215

"喂，求求你了，我现在很忙——我会的，一定会的。"

顿时，林娓聪感到身子像凝固了似的，她什么都明白了。她恨自己的蠢，早就应该从丈夫的变化中得知原委了，可她为什么总不去往那方面想。都说女人是敏感的，可还有谁比她更木讷？当陈名回到卧室的时候，看见他的妻子像一个拆散了的木偶般扑倒在床上，脆弱的肩膀被呜咽弄得一上一下。他暗叫一声"不妙"，然后过去装着惊讶的样子说："你这是怎么了？"

林娓聪猛地回过脸来，满脸的泪水："怪不得你对我越来越冷淡，原来是因为这个女人。"

"什么这个女人啊，你别瞎想好不好？"

林娓聪擦去泪水，坐直身体："你老实告诉我，是不是因为我怀孕，所以你按耐不住，去找了其他的女人？你只要坦白告诉我，我会理解的，只要你从现在开始和她一刀两断，我既往不咎。如果你还在装蒜骗我，我可饶不了你。"

陈名的心像波浪一般开始动荡。他想，是否一咬牙，把一切都袒露在她面前？但是同时，他估计那仅仅是被怀疑罢了，并没有被抓住把柄，假如她知道了真相，不当场刮他的脸才怪呢。"不是你想的那样，刚才的电话是个女的，她是要给我们介绍保姆。我对她说我已经找到了，她就发火了，说找到了为什么不及时通知她，害得她白辛苦一场。还有骚扰电话不是她打的，只是巧合而已。"

"陈名，你是我的丈夫，我一直都很信任你，可是你也别把我当傻瓜。刚才的电话内容我都听到了，你告诉我，这究竟是怎么回事？看在我还在坐月子的份上，你就不要再让我伤神了。

林娓聪眼里沉甸甸的忧郁与柔情交织的神情让陈名自责得要命,惟其如此,他更不敢把事实真相告诉她。

　　早晨的阳光从窗外射进来,屋子里充满了温暖而又明亮的光线。他把她温柔地放倒在床上,替她盖好被子:"我知道,自从你怀孕以来,我一直因为忙于做生意而疏远了你。在生意上呢,我也许只是一株苗条的灌木,偏偏以松柏自居。能力与欲望不调和,不平衡,所以也没有赚到什么钱。你看我成天不回家,又没拿回家多少钱,所以要瞎想、猜疑。我是能理解的,我以后多陪陪你就是了。"

　　陈名很久以来都没有对她这样温柔体贴了,林娓聪的心理防线崩溃了,她呢喃了一声"陈名"就泪眼婆娑地投入他的怀抱。

　　"好好休息吧,你还在坐月子呢。"陈名说着,企图让她重新躺下来。

　　林娓聪紧紧地攀住他,眼睛里充满了泪水:"你又要出去?"

　　"没有,我只是去梳头。"看见坚强有主见的林娓聪竟然为了向媛的这个电话变得如此神经质和脆弱,他感到了内疚和心疼。如果说他也曾有过和林娓聪离婚与向媛结婚的念头,但看见此时此刻比情人要弱得多的妻子,抚摩着可爱的新生儿,想起母亲因为添了孙子而喜不自禁的表情,他就怎么样也不想拆散这个家庭了。因为林娓聪现在生活在他的庇护下,他不仅重新开始对她感到兴趣,而且也对她表示出特别的尊敬。

　　"只要你在我身边,我就安心多了。"林娓聪喃喃地说。

　　"怎么你生了孩子以后,就变得这样了? 好像一个瓷娃娃一样。"陈名边梳头边说。

"这得问你。"

陈名心虚地闭了口。

这时保姆回来了,陈名检查她的菜篮子的时候,发现样样齐全,他暗暗着急,突然他灵机一动地喊道:"忘了叫你买酱油了。"

"那我马上再去买。"保姆说。

"不用了,你赶紧洗菜吧。我下去买。"说着,陈名就迫不及待地下了楼,在楼梯拐角处,他拨响了向媛家里的电话。

"怎么你今天又不上班?"他感到有些奇怪。

"上午没我的课,下午再去。"向媛扯着谎,然后问:"我们好久没见面了,今晚出来好吗?"

"可是——"陈名为难地说,"本来是没问题的,可你刚才的那个电话闯了祸,林娓聪已经怀疑我了。"

"什么?"向媛怒道,"难道我们的关系你还不向她挑明吗?你要拖到什么时候?"

"我是——唉,可她现在在坐月子。"

"你倒是很会心疼她啊。"

"做人不要这样恶毒吧?"

"我恶毒?"向媛的声音拔高了,"我打胎的时候怎么不见你这样关心我?"

"好好好。我出来就是。"陈名最怕她提这件事了,一提起来,他就觉得自己罪孽深重。

"那好,今晚六点,在老地方见面。"

周旋在两个女人之间真累啊。陈名突然有这种感觉。既然自己不想离婚,向媛又逼着他离婚,这件事这么拖下去迟早要出事的。不如趁今晚把话说清楚了吧,也好了却自己的一桩心事。回到家里,陈名爱抚着妻子的头发说:"亲爱的,晚上有个客户要来,我得陪他去吃饭。别瞎想,不是和别的女人约会。"

"你又要不在家?"林娓聪睁大了惊恐的眼睛。

"你别这样小题大做好不好? 我明天跟公司里的人说,以后这种应酬我都不参加了。这总行了吧?"

"你不骗我?"

"我保证。"

见成功地骗过了妻子,陈名松了一口气。

当太阳西斜,空气中带着寒意的时候,陈名和向媛又见面了。他看见她身穿初雪一般的白衬衫,发式整整齐齐,整个人显得精神而清爽。比起正在坐月子的蜡黄着小脸的林娓聪来,不知要受看多少倍。他到口的话又说不出来了。

"你好像有话要对我说?"向媛从陈名拘谨的样子看出来,事情好像要复杂起来了。

"我们边吃边说吧。吃什么? 麦当劳?"

"好的。"

陈名对这些食品真是厌烦透了,可偏偏向媛就是喜欢,在这方面他只有顺着她的心意去做。

"说吧,别吞吞吐吐的。"两人坐定下来,向媛目光冷冷地看着他说,"是不是又不想离婚了?"

陈名吞了一口唾沫:"不是我不想离婚,而是我老妈不同意我离婚。林娓聪为他添了渴望已久的孙子,她是决不同意我离婚的,她怕孙子会判给林娓聪。"

向媛冷笑一声:"我早不该相信男人永无兑现的甜言

蜜语。"

"不是这样的,向嫒,其实我真的很爱你。可是离婚对我们的压力都很大,林娓聪那边也不去说了,总是最不好过的一关。其次是我老爸老妈非把我骂死不可。再次是你老妈一定不会同意你嫁给一个离过婚的,有个儿子的男人。"

"你没有试过,怎么知道我妈妈不同意?"

"那就试试看了,如果你妈同意,我就是拼了命也要把婚离了。"

"那好,我去跟妈妈说。不过你可不许再退缩。"

"不要你去说,让我们一起去跟你妈妈说。你看我们交往到现在,连你家门口在哪里我都不知道,还谈什么婚嫁?"

听了陈名的这句话,向嫒整个人好像是从噩梦中惊醒一般惊讶地望着他,不知所措。一起去见妈妈,那不是找死吗?

"你看,被我说中了吧?你也害怕你妈妈坚决反对。没有父母祝福的婚礼是不吉利的。"

"借口,你在找借口。"向嫒一个劲地说,脸色煞白。

"向嫒,让我们都冷静下来想一想,其实我们现在这样不是很好吗?为什么非得做夫妻呢?"

向嫒真想照这张无耻的脸扇上两巴掌,但她努力克制住自己。也许这样做了,反而给他一个分手的好理由。她一定能闹得他家破人亡的,小不忍则乱大谋。

"你是说我就这样一辈子不结婚,没名没分地跟着你?"

"我当然想这样,可这样对你太不公平了,你可以去找你自己的幸福,只要你心里还留有一点我的位置就行了。"

多自私的男人啊。向嫒的心在颤抖。她苦笑一下:"我是决不可能同时爱两个人的。"

220

"那你说怎么办？我听你的。"陈名叽叽咕咕地说，好比一条狗挨了主人的骂，一边服从一边抗议。

"我可以做你一辈子的情人，并且永不和别人结婚。"看见陈名惊讶得无以名状的样子，她继续说："不过你也得答应我一个条件。"

"你说你说，哪怕要我去死我也干。"

"我约你出来时你必须出来，不然我一定把你家搞得天翻地覆。"

"行行。"陈名满口答应着。

向媛水汪汪的眼中露出胜利的光芒：陈名、林娓聪，你们都去死吧。姑奶奶要加大力度了。

27

一片凄清的晚霞被撕得七零八落,还在和往常一样茫茫无垠的天际微微燃烧,发出冷光。渐渐的,连这片晚霞也被十月的黑暗攥住、窒息了。

保姆家中有事回乡下去了,在新的保姆还没有到来之时,只有林娓聪亲自做保姆所做的一切了。她觉得自己就像这片晚霞,越来越没有自己了。

喂奶换尿布抱着儿子摇晃唱歌,这就是一天又一天的生活,枯燥、繁忙、疲劳。而她的丈夫呢?索性天天到午夜十二点才回家。他认定丈夫是在逃避劳动,她哪里知道,经过一个酷暑,陈名和向媛的感情并没有随着天气的逐渐凉爽而降下温来,反而越烧越烈,几乎到了一日不见如隔三秋的地步。

林娓聪夜里要起来给儿子喂奶,白天忙忙碌碌,整个人都像一个混混沌沌的陀螺,更谈不上理想情操了。对林娓聪来说,任何一天都不可能是崭新的了,再也不可能唤起她追求一种未知幸福的欲望,儿子的可爱只会延长她的痛苦,因为她担心,这样一个小小人儿,什么时候才能把他养大。一有风吹草动,她就担心他是病了,边气喘吁吁地抱着他去看病,搞得自

222

己身心疲惫。

天还没亮，一长条暗红色的朝霞出现在阴沉沉的天空里，小宝宝又嗷嗷待哺了。林娓聪睁开沉甸甸的眼皮给他兑好奶粉，看着他咕嘟咕嘟几分钟就把一瓶奶给喝完了，林娓聪心中充满了母爱，特别是看见她的儿子在"奶足水饱"后不停地向她展露可爱的笑脸，她就不舍得将这个可爱的小生命交给保姆了。如果像有些女人一样亲自带上几年的孩子，不也是一种天伦之乐吗？但人活在这个世上，本就是患得患失的，完全拥有儿子，就将失去自己，变成一个没有理想抱负的家庭妇女。这是林娓聪一想起来就不寒而栗的事情。

林娓聪把儿子放下，舒展一下疲乏的四肢。小东西却不依不饶地哭叫起来，非要妈妈抱不可。林娓聪于心不忍，只得又抱起他，背部的一根筋因为增加了小东西的分量而又痛起来，这种疼痛难以忍受。林娓聪没有办法，复将儿子放回到床上去，小东西又大起嗓门哭喊起来。林娓聪不再去理睬他，硬起心肠靠在床头休息。儿子不知遗传了谁的坏脾气，越哭越凶，越哭越狠，直哭得满头的汗像下雨一样。林娓聪无限心疼地抱起他，吻着他额头上的汗水。小东西心满意足地止住了哭声，但林娓聪背部的那根筋又痛了。

沉寂的午夜，夜色阑珊的拂晓，光影交叠的下午，一心想求学的林娓聪都在"哇哇"声中度过。林娓聪上厕所有拿上一本杂志的习惯，但现在，坐在抽水马桶上的她，手中却无奈地捧着一个肉团团。

累到极点的感觉就像在伤口上滴入石榴皮的汁水，是一种无法用言语来表达的感受，大喘气也无法表达的感受。

林娓聪没有空做别的事，没有空接电话，连吃饭都是匆匆下楼买个盒饭上来。她觉得自己好像是沙丁鱼，和儿子一起紧紧封藏在罐头里，与外界隔绝了关系。

当新保姆终于抵达时，林娓聪热情万分地接待了她，说话完全离开了她通常的语速，这是过度激动和神经兴奋造成的声音放大现象。现在保姆对她而言，无疑是救星驾临。何况在这个保姆红色的衬衫领中伸出的是一张更加红润的脸蛋，仿佛赫然烧着一团炽热、腼腆和热忱的火焰。多么朴实的一个乡民啊，她一定会是个好保姆的。

鸟儿已经开始啁啾鸣唱，用丰富辉煌的音符，将它看见的太阳撒入昏暗的卧室。粉红色的窗帘和白色百叶窗被晨风掀起，飘进飘出，扑打着窗棂。新的一天又开始了。

丈夫上班去了。林娓聪突然觉得一种不自然，好端端的一个家里骤然多了一个陌生人，虽然这个陌生人帮她带孩子，帮她干家务，但此人毕竟是个异己。在坐月子的时候也有保姆，却没有这种感觉，因为那时候自己需要人照顾。而现在她是一个健康人，所以感到很不习惯。难道从今往后一直都要和这个异己相处一室吗？尽管他们中间隔了个小宝宝，但小宝宝不会说话，解除不了这种窘迫感。这种情景令林娓聪想到了萨特的一个著名独幕剧，叫做《禁闭》，讲的是在一间豪华的客厅，封闭的密室里，一男二女三个在世上犯有罪错的鬼魂被关押在这座没有刑具，也没有刽子手的地狱里，彼此没有共同语言，却又要不能眨眼地互相审视。这是一种无法分离，又无法相爱，也无法消解的"死结"。结局是："让我们继续下去吧！"结论是："他人就是地狱。"这个联想像匕首一样扎进林娓聪的心坎，啊，我被判入狱了，至少要两年的时间吧？我到底犯了什么罪，竟要被判两年的徒刑？！

为了解除这种尴尬,林娓聪打开电脑,想继续终止了的SOHO的工作。可电脑一启动,保姆马上新奇地抱着孩子过来看。林娓聪最不习惯打电脑时有人在旁边看着,这会影响她的情绪,打断她的思路。她皱起眉头对保姆说:"不要让小孩子离电脑这么近,辐射很厉害的。"

　　保姆后退一步,依然瞪大了新奇的眼睛看着电脑屏幕。

　　"还太近,起码一米远。"

　　保姆十分憨厚地说:"我没有让他的眼睛看见电脑啊。"

　　林娓聪看见她把个宝宝的后脑勺对着屏幕,不由又好气又好笑:"不是怕伤到他的眼睛,是辐射对整个人体有害。"

　　保姆似懂非懂地离开电脑一米处远,眼睛却还是一眨不眨地看着林娓聪和她的电脑。

　　林娓聪无可奈何地关上电脑,捧起了一本书。保姆进了另一间屋子。

　　保姆手中的小孩子在不停地哼哼哈哈地哭,烦得林娓聪一个字也看不进去。她真想冲保姆大喝一声:"你就不能不让他哭吗?"但她终究还是没有这样做。现在的保姆娇气得很,一个不顺心,拍拍屁股就走人。反正现在需要保姆的人家很多,要找事做是很容易的。

　　林娓聪去上洗手间,能看见保姆。

　　林娓聪去厨房倒杯水喝,也能看见保姆。

　　林娓聪去书房取本书,又能看见保姆。

　　林娓聪去看看小宝宝,更要通过保姆。

　　林娓聪只想逃,逃开她曾经深深依恋过的小屋,那里曾经是她的自由天地,现在却是地狱牢笼。

　　广阔的大街上空气清新,她的小宝宝却只能天天呆在空气浑浊的家里;广阔的大街上人来人往,她的小宝宝却只能和一个乡下女人守在一起;广阔的大街上琳琅满目的小吃点心,她想的是小宝宝是否吃过奶了? 广阔的大街上有那么多好玩的东西,而她的小宝宝现在是否有人跟他玩耍,还是将他丢弃在床上,一任他哭哑了嗓子? 小宝宝是否已被保姆失手掉在了地上,摔扁了脑袋? 小宝宝是否被保姆的指甲不小心划破了眼睛,正在淌血? 林娓聪深深恐惧起来,尤其是当她的恐惧里没有丝毫理性的成分,那折磨得她苦不堪言的内心斗争就更加可怕。还是赶快回家去吧,哪怕是"他人的地狱"也好,总赛过现在的提心吊胆。

街上有那么多会走路的小孩子,林娓聪看着他们,热泪突然涌起,她的儿子什么时候可以长到那么大? 可以让她少操点心。苦难是没有尽头的,孩子原本就是妈妈的一副镣铐。

越接近家里,她就越归心似箭,三步并作两步跑回家,冲开房门,看见她的小婴儿安然无恙地躺在小床上呼呼大睡,她一颗悬着的心落下了。

林娓聪再也不敢外出了,连买菜的任务都交给了保姆,贪污点菜钱事小,她的小宝宝才是最重要的。上天本就判她入狱两年,她再也不敢轻易越狱了。

黄昏来临了,可是这漫长得无以复加的秋日黄昏里,阳光消逝得多么缓慢啊。她在等她的丈夫下班,好像他一回到家里,她就有了主心骨,面对保姆也不再难堪了。丈夫下班,也就是她监狱放风的时刻。

而这一切,丈夫是体会不到了,他总是加班。

天黑了,丈夫还没有回家。林娓聪拨响了他的手机,他说他可能要陪客户吃饭。林娓聪一听,几乎是绝望了,她恳求他回家吃饭,她的语音里已经含了哭腔。陈名以为妻子爱他爱得不得了,男人的私心得到了满足。情人和妻子都爱他爱得要死,他怎么就这样魅力无穷。

"把儿子交给你的婆婆带么,"朋友对她说,"你就又可以回到以前的天马行空、自由自在了。家里巴掌大,还要挤着个陌生人,叫我也受不了。"

听了这话,林娓聪的眼泪当场流了下来,她仿佛已经看见儿子看不见妈妈而号哭不止的惨相。这世上还有什么比生离死别还要让人无法面对的呢?她是个母亲,她的心境永远不可能像姑娘时一样逍遥自在了。儿子还这样柔弱,这样小,她怎可能完全放开手?儿子稚嫩的笑容就是她生命中的阳光,一个人怎可能长期生活在阴雨连绵里?

一看见保姆,她就仿佛堕入永无天明的长夜里。异己,她的内心排斥异己。但为了儿子,她只能接纳异己。

她的爱恨和她本身的复杂性使她的痛苦成倍增长,而且变得五花八门,折磨得她几乎发疯,她想她真的要发疯了。她是个疯女,只有丈夫在的时候她才是正常人。而她的丈夫给她的时间实在是太少了,少得她的生活里只有保姆而没有丈夫。

在他人的眼里,她是个福气好到骨头里的太太。惟其如此,她的悲哀才愈浓郁。

儿子剥夺了她的自由,彻底的,但她不后悔,她只是痛苦。

如果儿子有什么三长两短,她一定会去自杀,她想。有了儿子的女人,任何其他人都是次要的了。

"太太,吃饭了。"保姆在叫她。初始,林娓聪曾为了这一声旧社会时的称呼而喜不自禁,但现在这声"太太"像一把柳锁,把她给牢牢锁住了。

进了厨房,面对一张既熟悉又陌生的尴尬的笑脸,林娓聪心里布满了乌云。

下午接近黄昏的阳光从窗外照进来的时候,染上了一层苍白色,它在林娓聪的电脑上展开暗淡而空虚的反光,使得林娓聪无法工作。她伸手关上电脑,走过去从保姆怀中抱过儿子,小家伙突然受惊一样大声啼哭起来,任林娓聪哄得满头大汗而无济于事。狼狈间,保姆将他抱过去,顷刻,小家伙止住了哭声。

保姆笑笑说:"他不认得妈妈了。"

林娓聪又惊又气,不服气地重新抱过儿子,小家伙马上拉开嗓门号哭不止,直到回到保姆手中才破涕为笑。如此几番下来,林娓聪彻底心冷了。儿子只认得朝夕相处的保姆,而将他的生身母亲置之度外。以往母子相乐的日子一去不复返了,留给她的只是美好的回忆。她的心无比失落,她的眼泪要流下来了。

"太太。"保姆打断了她的回忆和感伤,直截了当地说:"你每个月再加我一百块钱吧。"

见林娓聪瞪大了吃惊的眼睛,她马上说:"要不然只有请你再重新找人了。"

林娓聪气愤之极,这个异己不但剥夺了儿子对母亲的感情,而且在儿子开始认人时无耻地来要挟她。要么加薪,要么令你手忙脚乱,无所适从。她实在没有精力换保姆,她只有忍气吞声地等儿子长大,才能回掉这个坏了良心的佣人。而目前,她只有委屈求全、息事宁人。

228

保姆心满意足地走开了。林娓聪突然觉得人活着实在没有意思,而这种感觉是她二十八年来从未有过的。她来到穿衣镜前,镜中映现出一张惨淡灰暗的小脸,毫无生气。这个丑陋的女人就是自己吗?而她是以美貌著称的。劳身不会损伤一个人的容颜,劳心却可以扼杀一个人的亮丽。林娓聪想哭,却流不出眼泪。她像一个已经干掉的女人,哪里都挤不出水来。

一天又一天,一天又一天。在别人的眼里,她的儿子在飞速成长,但在她的心里,日子就像一只服了慢性毒药的蜗牛的爬行。

当有一天林娓聪确信保姆能够独当一面,自己可以轻松外出时,另一件让人难以预料的事情发生了。

夕阳还未消退它迷人的光彩,外出一天的林娓聪回到家里,迎接她的是保姆一张说不清表情的面孔,而语气完全是质问的:"你怎么这么晚才回来?"

林娓聪吃了一惊,难道这就是原来那个时常笑脸相迎,唯唯诺诺的乡下女人吗?她以为自己的地位巩固了,主人离不开她了,就可以像老娘一样管束她的女主人了么?林娓聪不想骂人,她没这个精力,她只是敷衍地"唔"了一声。想不到保姆紧逼着又追上一句,咄咄逼人:"啊?!为什么这么晚回来?"

林娓聪真的想骂人了,而出口却是软软的一句:"车子堵。"

保姆放过了她,表情却是傲慢而得意,她胜利了,她成了主人。

是谁说过,不要后退,后退第一步就会有第二步,第三步。来了,第二步,第三步……

229

林娓聪站在窗前,看见小区内阳光明丽,相比之下,屋子的空气就太污浊了。她回头对保姆说:"抱宝宝下楼晒晒太阳,呼吸呼吸新鲜空气。"

保姆出人意料地说了简单的两个字:"你去。"脸色也是不容反驳的一脸凛冽。

林娓聪惊异地看着这个无法无天的乡下女人。保姆扭开脸,来遮藏她那露出细小牙齿的冷笑。

林娓聪又一次投降了,她不想换保姆,对孩子的身心发育都有影响。而保姆正是吃准了她这一点,这个乡下女人无情地利用了她那伟大的母爱。

今天丈夫又加班,不回家吃饭。听到这个"喜讯",保姆活动了一下懒散的筋骨说:"那我不烧菜了。"

"那吃什么?"林娓聪问。

"两个剩下的素菜可以了。"保姆大手一挥,"果断"地说。

"再烧个荤菜吧。"林娓聪征求地说。

保姆拉长了驴脸,柱子一样站立在她面前,巍然不动。她身体强壮,躯干笔直,仿佛一株遭到雷击而没有倒掉的树。

林娓聪妥协地说:"算了,你去休息吧。"

平静了不到五分钟,保姆突然拉开嗓门大声问她的主人:"咦? 我放在桌子上的一根绳子呢?"

"我没看见。"林娓聪边打电脑边说。

保姆手指猛烈地敲击着桌面,火冒三丈地说:"就是放在这里的,怎么会没了?"把从前满脸堆笑的客气态度,还有十分谦卑的谈吐,完全抛到爪哇国里去了。

林娓聪望着这个凶神恶煞一样的乡下女人,她真的想赶她走了。但她——为了孩子,为了她的那份 SOHO 的工作,她忍了下去。

望着女主人沉默的痛苦表情，保姆的眼睛里又露出那种尖针般的笑意。

屋子里静了，孩子睡了，保姆也睡了。盈盈皓月，深深地透射进来，床铺显得冷冰冰的，映成一片青色。林娓聪躺在这片青色上，却患上失眠症，因为像寒夜般的日子突然降临。她睡不着，她翻身起床开灯，她从镜子里看见自己的脸蒙上了一层死一般的苍白色。她也真的想死。她从来没有这样想死过。

丈夫还没有回家，但她已经不再盼望丈夫回家缓解她的窘迫了，因为她已经麻木了，自然不会有期盼。那个乡下女人与她期盼的形象何等不相似，她的小说看多了，把劳苦大众都想象成善良、勤恳、给予一分还十分的好人。但事实恰恰相反。

林娓聪静静地坐在床沿上，对面是一面大镜子。她闭上眼睛，回忆着从前，浑身上下都有种醉人的风姿和气质，她在任何一条大街小巷上走过，犹如一位大明星在这自然的舞台上亮相，甚至不用开口说一句话，就把这大自然的剧场中的常客们弄得神魂颠倒，就让其他的姑娘们显得相形见绌。凡她所到之处，总有羡慕的目光跟在后面。她被兴奋鼓舞着睁开眼睛，蓦然，她看见一个消瘦、憔悴的老女人，无精打采，虽然刚才有过一丝幻想的兴奋，但看上去依然无精打采。她废了。她真的废了。爱情是以分秒产生的，衰退也是以分秒产生的。她越是麻痹自己，就越是衰退。她绝望。一个美女在毫无思想准备的情况下失去了她的容颜，还有什么比这更令人绝望的？

困顿的女人，是最悲哀的女人。

她觉得自己越来越像她将来的尸首，这太可怕了。

悲哀、愤怒，使她想辞去保姆自己带孩子，累也好，放弃事业也好，总活得实在。这个想法让她激奋，但激奋只是一瞬间的，随即而来的是被现实压迫的残酷。

人活着有什么意思，还不如死了的好。自杀的念头，它本身是那么引人入胜，以前它离着这高傲的心灵一直是那么遥远，如今钻进去，很快就占据了绝对统治的地位。是的，敌视的气氛从厨房一直升腾到她的卧室里，天天生活在这样的环境里，还不如死了的好。

她有最亲近的人，丈夫、孩子等等，却都无所依托。想到此处，她感伤无比，想不到一个小小保姆能让她联想起这些感触。

这间屋子里只有她一个人———一个人———一个人，一个人和一个人的对峙，他人的地狱也就是自己的地狱，即使是一个人她也无处不在，她不能为所欲为，黑暗里也有一双偷窥的眼睛。巨大的孤独感涌上心头，她合上眼睛来逃避这种感觉。《禁闭》中的幽灵不能眨眼，好在她还能闭眼，比起他们，她还不算太惨。

林娓聪听任自己思路翻腾，热泪纵横，直到夜的最深处。

晨曦的光芒暖洋洋地照耀着，保姆又带着这些日子以来养成的得意地笑的习惯来到林娓聪身边，只不过这次的笑更加特别一点，她的话高声而又清脆："我老公来电话叫我回去。"她早已习惯不带那声献媚的称呼"太太"了。见林娓聪瞪大了惊异的眼睛，她胸有成竹地说出了下面的话："我也知道现在找人不好找,何况小孩子也离不开我。这样吧,你再加我一百元钱,我和老公通融通融。"

"既然你老公叫你回去你就回去吧,孩子我来带,不能因为我们而影响了你们夫妻的感情。"林娓聪收敛了惊异的表情说,她的声音镇静得像北极的冰山,令保姆一下子憷了,赶紧收回刚才的话说:"这倒没什么的,如果你手头不方便,不加工资也成。"

这个可恶的乡下女人。

"你还是回去吧,孩子我来带。"愤怒使林娓聪的声调变得十分坚决。

"那你带着孩子怎么打电脑呢? 这可是你的工作啊。"

她越是想讨主人欢喜,就越是变得笨拙和虚伪。林娓聪厌恶地皱起眉头:"这就不用你操心了。"

保姆的笑容冻结了,换成一张无赖的嘴脸:"那我来回的车钱得你出。"

林娓聪怒火攻心。

也许早料到女主人会拒绝,保姆的眼睛里竟然闪现出了一痕杀机,令林娓聪的鸡皮疙瘩层层迭起——这些来自穷乡僻壤的人,什么事情都做得出的。

"好吧,给给你,你快些走吧。"林娓聪大声说。一个人越恐惧时,说话声音往往就越大。

保姆眼中的杀机没了,取而代之的是一种嘲讽的意味。

我到底做错了什么,难道就是待她太好了吗? 林娓聪想不通,也不愿去想,她只希望这个人快快走,她不愿听到看到与她有关的任何东西。

乡下女人走了,林娓聪感到一种从里到外的轻松。

日子又变成繁忙的了,但她高兴,高兴这样。身的疲惫远远比不上心的疲惫来得折磨人。丈夫回家的次数更少了,骚扰电话的次数增多了,但林娓聪已经忙得无暇顾及,无暇生气了。

28

"睡吧,睡吧,我亲爱的宝贝,妈妈爱你,妈妈喜欢你……"林娓聪抱着她那越来越胖的儿子,摇晃着轻哼着摇篮曲。陈名又没有回家,而骚扰电话一天来就收了一大堆。两行清泪从她那日渐消瘦,日渐憔悴的脸上滚落。她把儿子抱得紧紧的,在她那暗淡无光的世界里,唯有独生儿子如希望之光在闪耀。

　　窗外灿烂的、数不清的点点繁星,俯视着同样灿烂但无疑更为多彩的霓虹都市。静下来想一想,她的丈夫一定是迷失在这里面了。林娓聪痛下决心,一等丈夫回家,她就把谜团逼问出来,这次不会再轻易放他过关。

　　钥匙在门锁里轻轻转动,陈名回来了。他一开门,吓了一大跳。只见他的妻子僵尸一样直挺挺地坐在沙发上等他。

　　"搞什么鬼,还不睡觉。你不是天天喊累吗?"

　　林娓聪猛然起身拦住他迈去卧室的脚步:"你今天不给我说清楚,就休想睡觉。今天不说,今天不能睡觉,明天不说,明天不能睡觉。我看你能坚持几天。"

　　"别瞎猜了,我真是加班。"

"你还在骗我？那些骚扰电话呢？"

"又有骚扰电话了？"陈名暗暗埋怨着向媛：为什么总是以折磨林娓聪为乐，这也许就是女人的妒忌吧。

"不许再说不知道。那个女人是谁？"

"没有女人。"

"那你就不许睡觉。"

陈名知道今天这关是过不了的了，他的敷衍已经到头了，但他知道如果把向媛的事情托盘而出，一定更没有好果子吃。

"好啊，那就大家都不要睡觉。"他索性往沙发上一坐，不断地往空中吹着烟卷，露出一派趾高气扬的样子。

"是你，不是大家。"林娓聪说完，走进卧室，把门给反锁了。

陈名四下看看，连条被子也没有。看来今晚只有坦白的份了。他敲着门："娓聪开门。我坦白，是有个女人。可我不喜欢她，是她老是缠着我的。"

林娓聪猛地打开门："那你就被她缠？缠了将近一年？亏我以前这样信任你。"

"不是的，你听我说，不是你想的这样……"

"你还想狡辩？"林娓聪突然爆发了，积怨太久的感情一发而不可收拾。她能以冷静的态度来对待伤害了她的保姆，因为那是个外人。但现在伤害她的人是她最亲近的人，最不设防的人。人性中最疯狂的一面在最痛苦的时候会淋漓尽致地体现出来。

她披头散发，眼泪像泉水般地从闪烁着怨恨的眼睛里涌了出来。她完全失去了理智，不顾死活地冲过来又咬又踢，力气大得像个疯子。每次他想向她解释的时候，她总是野蛮地咆哮着,诅咒着,尖声大叫:"畜生!畜生!"

"住手,住手,不然我要还手了。"陈名又惊又怕。女人的妒忌一旦爆发出来,就像堵截奔腾而下的洪水,再也挡不住,令人有被淹没的窒息感。

林娓聪总算住了手,却一屁股坐到地上,伤心地撕心裂肺地痛哭起来,边哭边怒斥着:"我一直以为你是一个没有心计的长不大的孩子,所以对你一点都不加防范。没想到你竟然是一个冷血动物,我从未真正接近过你。我为你做了那么多,你却一点感觉不到。家里经济条件不好,我大着肚子都不舍得吃,你却把我的血汗钱用在另一个女人身上。任何一个有点良心男人都不会这样对我的,不会的。"

陈名心虚地一言不发。

林娓聪越说越气,再次冲上来对他拳打脚踢。

"好了!杀人不过头点地,你到底要怎样?"被打急了的陈名突然高声嚷道。鬓角的静脉鼓胀起来,简直要撑破血管似的颤动。

林娓聪继续像疯子一样地对他又抓又挠:"难道你还有理了?你这个畜生。"

陈名反抗了,他抓住她的两只手,把她牢牢地摁在沙发上,两人都像野兽一样大喘着粗气。

"你怎么会变得这样的?让人害怕。"陈名喘息片刻说。

"是你让我变成这样的。"林娓聪不能动弹,唯有眼睛里的怒火还有一定的杀伤力。

陈名的眼睛也如同喝得烂醉一般充满血丝:"不要闹了好不好?我以后和她一刀两断。"

"你撒谎!我再也不相信你了。"

"我不骗你。只要你不闹了,让我干什么都行。"

"不不不不。"林娓聪声嘶力竭地喊着。

"你现在怎么变得这样声嘶力竭?好像是老粗的舌头只觉得烈酒才有刺激一样。你还是不是那个美丽大方的林娓聪?"陈名在她耳朵旁大声呵斥着。

听陈名这么一说,林娓聪突然没了锐气,她的声音里充满了悲哀的因素:"我现在是不是变得很丑了?"

陈名仔细地看着她,自从她怀孕的后期到现在,就一直没有好好看过她。往日美的余韵在她的脸上只存有奄奄一息,正如隆冬拂晓消失在乌云后面的惨淡朝晖。

"好好休息并且打扮一下,你能恢复从前的。你是太累也太不注意打扮了。我们重新再找个好一点的保姆吧。"

"真是字字珠玑。"林娓聪失神地说。

陈名突然觉得她很可怜,他松开了她的手说:"我们去睡觉吧,有什么事明天再说。你要多注意休息,才能恢复以前的容颜。"

林娓聪突然挂上一脸冷笑:"不,你先告诉我,她的名字、电话号码、职业。"

"你要干什么?"陈名惊恐地问。

"我要知道。你说不说?"林娓聪抬起眼睛,一脸的不容质疑。

陈名权衡一下,把向媛招供出来也是她活该,如果不是她老打那些骚扰电话的话,他们的事情也不会败露,更不会有今天晚上的这场恶战。给她一点教训也好。

林娓聪把这些有关情况都记在一张纸上,然后幽幽地说:"去睡觉吧。"

"先让我擦点红药水。"陈名伸出两只手,上面已是伤痕累累,"林娓聪你好狠毒。"

"是你还是我?"林娓聪愤而推了他一把,这时才发现刚才的那场恶战已经造成她浑身疼痛,她仿佛听见自己全身的关节都在咯咯作响,好像是一首不和谐的合奏曲,骨架的每一部分都拉着各自的调子。于是她又伤心起来,拉长调子哭了起来,并发泄一样关了灯,弄得屋子里漆黑一团,伸手不见五指。

陈名在黑暗中摸索着取过香烟来。衔在嘴里点了火。他的脸在火光一闪的瞬间浮现了出来,但立刻又消逝在黑暗之中。那是一张充满烦恼、神情恍惚而又略带几分羞愧的脸。

林娓聪又想扑上去打他,但双手握成拳状抖了一抖,却掉头扑到了床上。她精神上最经不起打击的地方受了伤,对她而言,没有什么比丈夫的背叛更叫人痛心疾首的了。

陈名没有涂红药水就上了床,他试图用触摸的方式来缓解他们的夫妻关系。但只要他一碰到她的身体,她马上触电一样躲开了,并且更紧地用被子包裹住自己。

对林娓聪来说,这是一个讨厌的夜晚,像一生那么长。只要一闭上眼睛,就出现丈夫和别的女人亲热的画面,联想起这些日子独自苦撑的艰难岁月来,她心如刀割。

只有睁着眼睛,感觉才好受些,她就这样一直睁眼到天明。

陈名却睡得那么香,好像什么事情也没有发生过的样子。半夜里婴儿哭过两次,也没有吵醒他。林娓聪的头像刀劈一样痛得要裂开来的样子。她起身拉开窗帘,寻找着太阳的影子,但太阳早已隐藏到了层层高楼的背后。林娓聪在一片汽车开过的唰唰声中耐心地等待,她在心里暗暗祈祷,只要让她看见太阳,就证明灾难最终会过去。也许是她的诚心和悲痛感动了太阳,太阳从高楼的罅隙间露出脸来,圆圆的,在天空中晕开一片嫣红。

啊,我看见了早晨的太阳,这是一个好兆头。林娓聪既苍白又蜡黄的脸上出现了一丝笑容,但随即又消失了,她想起了两年前的那个五月,与陈名在杭州西湖共看日出的情形。那时她迷失在激情的狂飙中,在天堂沉浮,以至于蒙蔽了双眼,为自己错选了一段婚姻。那时的陈名风趣幽默、活力四射,深深吸引着她,让她童心复燃,心旌猎猎。谁会想到他竟变成现在这样一个冷漠、自私、没有责任心、只顾一味追寻肉体之欢的低级动物。

陈名悄悄爬起来,站到妻子身后,她却沉浸在痛苦之中一无所知。陈名的视线跃过妻子的头顶看着窗外,他不明白是什么样的景色迷住了妻子。他看见天空呈现出一种悦目的似白近蓝的色调,高架路后面的那所高楼是向阳的,它的屋顶反映着粉红色的霞光。他的心似有所触动,伸手扳过了她的身体。

看见林娓聪的脸,陈名吃惊不小,才一个晚上的工夫,本已花容憔悴的妻子更是脸上瘦得可怜,眼窝下陷。

"天哪,难道你一个晚上都没有睡着?"陈名失声叫起来。

听了他的话,更是勾起了林娓聪无限的恨意,她突然抽了他一个耳光:"你滚!"

太阳开始隐逸在云层后,一股寒意袭来。陈名才从心头升起的内疚被这个突如其来的耳光打掉了,他摸着一边脸颊说:"你看看你现在是什么样子! 又丑又凶,哪有一点过去的影子。如果不是你的转变,我又怎么会走得那么远?"

陈名的这句话让林娓聪深有触动,她像痴子一样坐下来,一动不动。最后是婴儿的哭声叫醒了她,她发现陈名早已离开,只有玻璃窗像燃烧的火焰,一片通亮。

是因为自己变丑了,在丈夫身上的爱心放少了,才让别人有机可乘吗? 这么说来,自己也不是一点责任也没有的了?

林娓聪的心渐渐平静下来,头脑也开始冷静地思考起问题来。

把儿子交给婆婆带,这可能是此时唯一的出路。虽然这样做让她的心犹如刀绞,但现在是非常时期,她只有忍痛割爱。

她抱起儿子,泪如雨下,她泣不成声地对着小生命说:"对不起,不是妈妈狠心,实在是没有办法。等你稍大一点,妈妈就把你接回来。妈妈不能让自己变成一个丑八怪,妈妈不能活得没有自己。但请你相信,妈妈爱你,最爱最爱你。任何人,任何事都不能改变这个事实。"

强烈的阳光在暗色的墙上印上那鲜艳而又转瞬即逝的装饰,就像人类的婚姻,璀璨都是短暂的,如昙花一现般无奈而又真实。

林娓聪痛痛快快地哭了一场,在将儿子送往婆婆家的路上,她心中的感受就像是生离死别一样揪心地痛。

我要出去工作。离开了人才荟萃的中心,呼吸不到思想活跃的空气,不接触日新月异的潮流,我的知识会陈腐,趣味会像死水一般变质。我林娓聪是一流的,没有哪个女人可以和我比,可以和我争什么东西。至于我的研究生梦,等以后再说吧。这辈子没有机会,还有下辈子。

29

天河开了闸,天河仿佛把郁积已久的怒气突然一股脑儿倾泻出来似的。陈名走出办公楼,考虑到底是冒雨奔到车站,还是忍痛叫部出租车回去。犹豫间,突然看见林娓聪撑着一把双人伞,站在马路对面深情地看着他。一时间,他怀疑自己是眼睛花了。他用手揉了揉眼睛,却看见妻子已经款款走了过来。

　　"怎么回事?"陈名回不过神来。

　　"雨下得这么大,你又忘了带伞,我来接你。"

　　陈名还是不敢相信这是真的,自从向媛和他的奸情败露之后,他们恶战过一场,之后林娓聪把儿子交给了他的母亲带。然后她开始打扮起自己来了,并且关心着报纸上的招聘启事。但他们夫妻的感情并没有改善,林娓聪那一张醋意十足的脸冷冰冰的老是不高兴,话中带刺,动不动就出口伤人,像锋利的匕首。每当这时,他都特别想念向媛,却只能偷偷地在白天和向媛见上一面。

　　闪电发怒般一再劈过天际。

　　林娓聪收拢伞躲进屋檐下:"雨太大了,有伞也不管用,还是等稍微小一点再走吧。"

陈名一直用吃惊的眼光看着她。今天她穿了一件米色的衬衫,外罩一件灰色的羊毛背心,同样米色的长裙子的下摆已经湿透了。涂了很淡很淡的眼影的眼睛顾盼有神。

她又开始漂亮起来了。陈名心想,同时问:"怎么想到要来接我?你已经原谅我了。"

在这大雨倾盆的秋日黄昏,林娓聪突然感到一种醉人的快乐,一种无限的柔情,淹没了她那软弱的心:"不是原谅,而是爱。我发现我还是这样爱你。"

"娓聪,你真的可以不计前嫌?"陈名惊喜交加。

"是的,你和向媛的事情对我来讲,不过是轻微的忧虑,再不能有损我的心灵。就像滔滔江水中落入一根羽毛,不能改变它的流向一样。"

陈名的心被一股伟大的力量震撼着,他看她的眼睛就知道此时此刻她的爱情跟他的爱情一样强烈。他的妻子不但容貌出众,思想也高人一等。这是多么难能可贵,他发誓和向媛不能再藕断丝连下去了。

"我们去吃一顿烛光晚餐吧。"陈名说,对妻子他想好好补偿一下,他亏欠她太多了,一想起来就让人心疼。

"可是晚上的菜我已经烧好了。"

"那就留着明天再吃吧,今晚我想庆祝一下。"

"庆祝什么?"

"庆祝我们的爱情涅槃。"

林娓聪感到鼻尖发酸:"你这个文盲还真会说话。"

电火从天空中连连倾注下来,仿佛要把尘世涤荡干净。陈名感到他们又回到了恋爱时,那时候他是多么爱恋她啊。他们在办公楼下忘我地拥吻,林娓聪觉得整个世界的声音潮水般退却,只有他们两个静止在这里。

雨似乎小了不少,两个红光满面的人醒了过来。他们招手叫了一辆的士,非常的时日里,就让老夫老妻也奢侈一下吧。

烛光下,林娓聪含情脉脉,若有所思,其神情宛若一张画像。陈名被她那磁铁一般的优雅风姿所吸引,连手中的刀叉都忘了放下。

林娓聪莞尔一笑:"你真的把那个向媛给忘了吗?"

提起这个名字,陈名感到气氛被破坏了,如果说对林娓聪他是亏欠的话,那对于向媛,他似乎亏欠得更多。"我一定会忘了她的,我不会再和她有瓜葛了。"

在烛光的照耀下,林娓聪的脸泛着桃晕:"那我就再相信你一次。"

"谢谢你的宽容。"陈名的笑容里出现了苦涩的阴影。

"现在雨已经停了有一会了,我们出去走走吧。"林娓聪提议。

"好。"陈名起身道。

林娓聪挽着陈名的胳膊来到大街上,因为刚下过雨,所以空气十分清新。她吸了一口气,仰望着苍穹,突然像发现新大陆一样惊喜地叫起来:"你看,有一颗小星星。我以为下过雨是没有星星的。"

陈名也抬起头,果然看见一颗小星星,在离地球极其遥远的寒冷的茫茫宇宙之中闪着光。

"真的很美。刚才那一场暴雨把尘埃冲洗无余,世间显得很干净。"

"还有些冷。"林娓聪更紧地往他身上靠了靠,万颗未干的雨珠挂在树梢,撒在草丛。

"那我们赶快回家吧。"

林娓聪又往天上看了一眼，乌云笼罩着的天空被划破了一道缝，冰凉的月光泻到湿淋淋的地面上。

"看什么呢?"陈名顺着她的目光往天上看，一轮满月雍容端庄地挂在天上，圣洁的银光飞泻下来。"你就像月亮，美丽、高贵、可爱。"

"我像月亮，那向媛像什么呢?"

陈名搞不懂，为什么女人总爱在她的男人面前提起情敌呢? 向媛老是爱和林娓聪做比较，连优雅的林娓聪也同样爱和向媛做比较。"她像池塘。"他想到了向媛家附近的那个小池塘。

"池塘?"林娓聪哑然失笑。

"是的。你们一个天一个地。"

"既然有着天壤之别，那为什么要背叛我?"

见林娓聪突然又严厉起来，陈名一阵惶恐，不知该怎么说才不会惹得她雷霆震怒。他知道其实妻子并没有原谅她，她还是不甘心。她今天所做的一切，并不是死心塌地的爱，而是好胜心在作祟，她要把他从情敌的手里彻底抢过来。

"已经是过去式了，不要再说了好吗? 那时的你因为变得很丑，邋里邋遢，所以她才有机可乘。现在的你又恢复了以往的美貌、气质等等，她不会再有机会了。"

"那时因为我怀了你的后代，要照顾你的后代，才变成那样的。你怎么就没有想过，我变成那个样子，你也是有责任的呢? 你怎么就不能体谅一下一个女人初为人母的辛苦呢?"林娓聪的声音激动起来。

"我现在知道错了，我不是个好男人好丈夫，你嫁给我实在是亏了。"

"我为你吃了那么多苦，你就一点也不理解，你知道我有多痛心吗？"

陈名低着头，听着林娓聪一句又一句的痛斥，好像挨批一样。他觉得她是在用显微镜看别人的缺点，将其无限扩大，深恶痛绝，评论个没完。有些不搭界的事情也被她扯到了他的婚外情上。

雨后的树木，沉甸甸地低垂着枝头，沉浸在忧郁之中，一如此时的陈名。

"你知道'心如死寂，无所归依'的感受吗？"林娓聪突然泪水涟涟起来。

"你不要这样，我已经够内疚的了，你想把我逼疯吗？"陈名也突然有哭一场的冲动，但他毕竟是男人，他克制住了这种感情。

陈名可怜的样子让林娓聪心中浮起柔情万种，毕竟是一场夫妻，她的心又软了，重新把身子靠上去："我累了，我们回家吧。"

"好，我们回家，但求求你不要再提这些事了好吗？我相信，我们的感情一定会越来越深厚的。"

"陈名。"林娓聪颤抖地叫了一声，感到自己变得无比软弱，她心想男人真是女人的克星，几句好话就把所有的怨恨都化解了。

此刻所有的言语都显得苍白，他们互相拥抱、亲吻着。

这一夜，掩埋许久的情欲喷薄而出，两人仿佛又回到了那个五月，西湖边的客房内，彼此找到了肉体深处的自己。最后，他们相拥着在温柔乡中朦胧睡去。

30

一闪一闪的电光照亮了树丛,映出那发狂似地在风中摇晃的树枝。向嫒的心情就像这天气一样,充满了电闪雷鸣。没想到自己不厌其烦的那些个骚扰电话虽然让林娓聪明知了丈夫的不忠,却非但没有提出离婚,反而又拉回了陈名的心。自己曾经化名林玉洁去试探林娓聪的时候,她说只要一发现丈夫对她不忠,她就会坚决离婚的。正因为这句话,自己才把计划进行下去的。如果早知道她心口不一,自己说什么也不会一条道走到黑,一定会想出其他的办法来的。可现在,事情已经一团糟了,自己处在了下风,该怎么力挽狂澜呢?向嫒心急如焚,因为她的签证今天已经下来了,她没有再多的时间和他们蘑菇下去了,她决定背水一战了。可是现在夜那么黑,她却要等待黎明的到来。她辗转难眠,千思百想。

自己已经是使出浑身解数来献媚于陈名,甚至还为他打掉过一个孩子,可为什么总斗不过林娓聪?难道自己在陈名的心目中就是这样微不足道,就像一颗小小的星星,在那光芒万丈的彗星的长尾巴旁变得黯然无光?

还是因为容貌?体贴和温柔都是附加品,只有美貌才是正果。说到底，男人都是好色的，难怪历史上许多英雄都是要美人而不要江山。英雄尚且如此，更何况是陈名那头狗熊呢？

向媛重重地翻了个身，她的眼前浮现出林娓聪在结婚照上的形象，真可称得上是美轮美奂。那种天生丽质，任自己是怎么打扮也比不上的。只是不知道那穿着华丽服装的身体是不是也一样美丽诱人。想到这里，向媛的手悄悄伸向自己的乳房，曾经是少女青枣子一样的乳房经过这段时间的爱抚和凌辱，已经变得圆鼓鼓的了，好像两只成熟的果子。向媛的手往下面移去，移到与大腿交接的地方停住了。那个地方的形成有如落日收尽余晖时的地平线那般宁静，那般恬适。在摸到那个幽邃的一条曲线的两个弯瓣时，她忍不住发出一阵轻微的呻吟声。

窗外雷声隆隆，白色的闪电径直劈开那巨大的紫色云层，穿过地平线刺入大地。电闪雷鸣培植着她虚幻的想象，她好像看见陈名豹子一样朝她扑来，行动优雅、稳健、危险。他骑在她的身上，用他那低沉、洪亮，含有迷人的自信，甚至略带冷酷意味的声音对她说要干死她，她被他的魔力镇得动弹不了了，就像一只可怜的小动物，甚至是小昆虫一样，激动得浑身发抖，渴望被一口吞下去。她被他蹂躏着，痛苦地欢叫着。她的身体好像浮在水面上一样，对，就是家附近的那个池塘。突然，一道长长的月光，融入池塘的鄰鄰细波之中，并且铺满了整个的水面。她一下子解脱了。

向媛满头大汗，从情欲的高潮中走出来的她痛恨着自己。自己怎么会变得这样下流，难道这就是近墨者黑？她居然在这样耻辱的想象中达到了高潮，自己究竟还是不是一个正常人。而原本瘦削的身体这时候却丰盈圆润起来，恰似一朵怒放的鲜花。她狠狠拧着自己的肉体，惩罚着这不要脸的肉体，泣不成声。

黎明时，她昏然睡去。是母亲关大门的声音惊醒了她，她睁开眼睛，看见窗外天空放晴了，像洗涤过一样，蓝得透亮。回忆起昨晚那一幕，犯罪感已经消失了，剩下来的感觉还是要找寻复仇的快感。她拿起电话，不断地给林娓聪慷慨地奉送着骚扰电话，直至陈名的电话打进来。

"喂，小姐，你疯了吗？林娓聪已经不追究我们的事情了，你还不放手？"

"我爱你，所以我可以不计较你离不离婚，心甘情愿地当你的情妇，终身不嫁。如果林娓聪也爱你的话，她就应该和我和平共处。她现在每晚都不许你出来，是她要把我赶尽杀绝的。你为什么不说说她，反而来责怪我呢？"

陈名一下子愣住了，也许向媛说的对，如果林娓聪是真心爱他的，她就应该设身处地地替他考虑一下。

见自己的一番歪理起到了作用，向媛得意起来："我说的没错吧？不见得你要为了一个不爱你的女人去放弃另一个爱你的人？"

陈名感到自己的喉咙干得快要冒起烟来，他嘶哑着嗓音说："今天我下班后就去和她谈这个问题。但是求你不要再给她打骚扰电话了。"

"真的？你真的会跟她这么说吗？"

"当然会。欲知后事如何，请听明天分解。"

向媛大笑起来，心想男人可真是个大傻瓜。她欢天喜地地和陈名说着各种各样的话，感到自己马上就要反败为胜了，她就欣喜若狂。哪个女人能受得了自己的男人说出这样的话来,看来今天的一场战争陈名和林娓聪又是逃不掉的了。说不定他们马上就会一拍两散的了,自己也用不着为多留几天而找各种借口了。

林娓聪打开窗户,将夜幕中的空气放入了房间,同时也把高架路上的噪音放入了房间。她转回头,看见陈名依然铁板着一张脸靠在床头看电视。

"你有心事? 是因为上午的那些骚扰电话吗? 是不是向媛打的? 你去证实过了吗?"林娓聪终于憋不住了,一连串地问。

"是的。不过不要理她就是了。"陈名目不斜视地说,他感到内心胆怯,一直没有勇气把想说的说出来。

林娓聪用一种目无下尘的傲慢神态说:"怎么还有这样自不量力的女人?"

陈名突然一阵反感:"最近一段时间公司比较忙,我可能要经常加班,你允许吗?"

"加班,是加向媛的班吧?"林娓聪警觉起来。

"不是的,真的是客户。"

"那好,我和你一起加班,相信我这样的妻子是很带得出去的吗?"

"你不要胡搅蛮缠了,难道我就不能有一点自由吗?"陈名冲着她大声喊叫起来。

泪水浮上了林娓聪的眼眶:"我曾经给你太多的自由,是你自己不珍惜这份自由。对,从现在起,你没有自由了。"

陈名知道再说下去必然又是一场战争,索性蒙上被子,早早睡起觉来,不再理她。

林娓聪聚集在眼眶里的眼泪滚落下来,她知道向媛还在他的心里,如果向媛不主动退出的话,将永远存在于丈夫的心里,那丈夫的心也将永远对她关闭着。

　　林娓聪独自来到朝北的那间小屋中,呆呆坐着,她感到孤独,那是一种精神上的孤独。在头脑中有过一刹那的空白之后,她突然想到了乔先生,想到了与他一起工作时的情形。他们默契地工作着,却因为彼此爱慕而使工作变得复杂起来。他们的感情就像一层窗户纸,虽然薄薄的,却最终没有被捅破。

　　她突然强烈地思念起乔先生来,不如把这层窗户纸捅破吧。她、陈名和乔先生曾在一个屋檐底下共事过,对她的痛苦,乔先生肯定是最能理解的人。林娓聪忍不住剧烈地抽泣起来,乔先生一定会愤愤不平,甚至是怒不可遏的,最后,会用他无边的温柔抚平她的创伤。林娓聪停止抽泣。但也许,她完美的形象会在乔先生的心中土崩瓦解——一个连自家男人都拴不住的女人,还有什么用。枉我那时竟然把她当成天上的仙女,高瞻远瞩着。

　　林娓聪颤抖起来,还是留给乔先生一个完美的记忆吧,永远不要去打破它。可是为什么?为什么凭着她的魅力,却打不败一个不美丽的小学老师?这究竟是为什么?也许自己真的是无能的,难怪丈夫变心。出了事情不想法补救,反而想逃到别的男人的怀中去,而且还是逃到一个老男人的怀中。

　　林娓聪为自己感到羞耻,她在思量着有什么更好的办法把事情给解决了。

　　如果向媛有了新的男朋友,一定就不会再缠着她的丈夫了。林娓聪心头一亮,一个名字跳进了她的大脑——赵翰烽。

那是一个花花公子,曾经追求过她。如果让他去追求向媛,不是很好吗?一个是生活随便的花花公子,一个是道德败坏的第三者,真是天造地设的一对儿。

林娓聪激动起来,她关上房门,拨响了赵翰烽家的电话号码。

听见林娓聪的声音,赵翰烽简直不敢相信自己的耳朵,骄傲的白天鹅居然会主动打电话给他。

"你好,老朋友,最近一切都顺利吗?"林娓聪的声音出现撒娇的音调。

赵翰烽的身子酥了半边,声音也随即酥起来:"我一切都好,只是很想你。你是不是和老公吵架了,所以想让我给你一点安慰?"

"你真是厉害。不过我不要你的安慰,只想让你帮我一个忙,说不定也是在帮你自己的忙呢。"

"哦!"赵翰烽马上感兴趣地支起了耳朵。

林娓聪把向媛的事情简单地说了一下,"你有兴趣去追求她吗?"

赵翰烽感到非常有兴趣:"你老公能看得上的女人,应该不会差。好了,我帮你这个忙,把她的联系方式给我。"

"可你怎样去认识她呢?"林娓聪觉得这是一个难关。

"放心地交给我吧,我有办法。"

对于这一点,林娓聪深信不疑,毕竟是花花公子嘛,他会有一套的。"我希望你能把她的信息传递给我听。"

"好的,谁让我们是老朋友呢?"

放下电话,林娓聪感到心情轻松点了,只是不知道赵翰烽有没有把握搞定向媛。

半开的百叶窗上的明媚的月亮,把一道道梯架般的窈窕的投影,抛到她身上,使她宛如一匹斑马。她沉湎在宁静、平和与孤独中。

许久,她站了起来,来到北窗前,看见天空中只有一颗孤孤单单的小星星,远远地悬挂在天幕。那颗可望而不可及的星星在昏暗的宇宙中摇曳着它那亮闪闪的光线,直穿寒冷的空间。林娓聪抱紧双臂,眼睛里又有东西要掉下来。她觉得自己就是那颗星星,那么渺小、孤单。以前她总认为自己就是天上的月亮,高贵典雅,独一无二。但现在巨大的挫折感让她觉得自己原来只是一颗自以为是月亮的星星而已。

孤独悲伤让她与日俱增地思念儿子,但她努力克制住自己的这种思念,将强烈的母爱冲刷得淡淡的。也许上天觉得她仅仅做一个贤妻良母是大材小用,所以降下极大的打击来告诫她不要丢了自己,自己的作用不仅仅只是照顾孩子。

林娓聪擦去眼泪,双手合十,在这个清凉、寂静、明亮的夜里默默祈祷着。

31

　　大地就像一块海绵缓慢地吸收水分一样吸收着色彩。向媛知道陈名快要下班了,而母亲又到阿姨家去了,她可以肆无忌惮地施展着自己独特的生活了。她正欲给陈名去电话,约他今晚出来共进晚餐,却不料电话铃突然响了。她做贼心虚地吓了一跳,条件反射地接起来:"喂?"

　　"是向媛小姐吗?"电话里出现一个陌生男人的声音。

　　"我是,你是谁?"向媛倍感奇怪。

　　"自我介绍一下,我叫赵翰烽,今年三十八岁,摄影师,因为寻寻觅觅,耽误了大好青春,所以至今未婚。小姐,我们可以见见面吗?"

　　"你是什么人啊,怎么得到我家的电话号码的?"向媛的眉头蹙成了一团,怎么乱七八糟的人会知道她家的电话号码,如果被母亲知道了,非被骂死不可。

　　"你当然不认识我了,可你总知道林娓聪吧?"

　　"林娓聪?"向媛登时浑身瘫软,魂都出了窍。难道林娓聪寻仇来了。

　　"小姐,别害怕。我们做个朋友吧,有我保护你,林娓聪不

254

敢伤害你。"

"这到底是怎么一回事？你把我的脑子都搞昏了。"

"可怜的小姑娘，我们见面谈吧，明天我来接你下班好吗？"赵翰烽的声音是那样温柔，生怕把对方弄疼似的。

"下班？难道你知道我的工作单位？"

"小姐，这有什么可奇怪的，你家的电话号码我都知道了，还能不知道你是××小学的语文老师？"

"天哪。"向媛叫了一声，该死的陈名把什么都告诉了林娓聪，她怎么就那么失败？

"小姐，别像刺猬那样随时防备着任何人，难道直觉没有告诉你，我是绝对没有恶意的？"

"今晚，今晚我们就见面。"向媛果断地说，一方面她太想弄明白这葫芦里究竟卖的是什么药了，一方面她害怕他到学校门口去等她，因为她早已辞职了。

放下电话，向媛心乱如麻。看来事情复杂起来了，林娓聪并不是只软弱的绵羊，她非但不提出离婚，反而想办法来对付她，而她的时间不多了，难道处心积虑的计划就此宣布失败？

晚间的云渐渐浓起来，天色越来越暗。

向媛用拳头扣击着疼得要裂开来的脑袋。不知道这个赵翰烽到底是何许人也，如果他真的愿意帮助她，倒未尝不是件好事，到头来林娓聪怕是搬起石头砸自己的脚吧。

月亮藏在暗淡的薄雾后面，轮廓显得相当分明。向媛看见红茶坊门口站着一个高个子的男人，手中拿着一本作为信号的杂志。看来这就是赵翰烽无疑了。向媛朝他走过去："请问，你是赵先生吗？"

"我就是赵翰烽。"赵翰烽的眼睛一亮,在他的想象中,勾引他人老公的向媛是有一种风尘味的,没想到她看上去比实际年龄要小好多,像个清纯的高中生。

"我们进去谈吧。"向媛熟门熟路地走进去,挑了个相对比较安静的角落坐下。

"你好像对这里很熟悉,常来吧?"赵翰烽嘴角挂着赏心悦目的微笑问。

向媛没有答话,那是她和陈名经常光顾的地方,赵翰烽的问话刺痛了她的心。

"你很美。"赵翰烽坐下后说。

"多么虚假的恭维话。我知道自己的长相,你是林娓聪的朋友,见过这样一个大美人,居然还说我美,真是假到极点了。"

"我说的是真的,我是个摄影师,我的眼光有别于一般的凡夫俗子。你的美像一个含苞未放的花蕾,只有喜欢稿本胜过完工的图画的艺术家才赏识。"

"真的?"喜悦的神情出现在向媛那愁眉苦脸的脸上。

"千真万确。"

向媛终于露出了笑容,电话里对赵翰烽的反感已经荡然无存。

"你的笑也很美,女孩子应该经常笑。"

向媛没有心思和他闲扯了,她收敛笑容道:"说吧,你究竟是什么意思?"

"哦,"赵翰烽往后一靠,"林娓聪把你们的事情都告诉了我,我想劝劝你别破坏别人的家庭,好男人有的是,你何必非得做第三者呢? 我向林娓聪要了你的联系方式。不是她让我来的,我只是听她这么说起,所以对你很感兴趣。我喜欢有特色有个性的女孩子。"

向媛提着的一颗心放下了:"你可真爱管闲事。"

"今天我是来看看你的,如果你是一个庸俗的女人,那你们的闲事让我管我也不会管。但我今天看到了你,我决定,你们的闲事我管定了。"赵翰烽用一双热烈的眼睛看着她说。

向媛低下头,佯做不知地说:"我听不明白。"

"现在我要求你做我的女朋友,你同意吗?"

向媛啼笑皆非,她从来没有碰到过这样直截了当的人:"真可笑,这是不可能的。

"为什么? 有未婚的人不找,非要苦苦缠着一个有家室的人。情人就像块偷来的宝石,既不能拿出来向人炫耀,危难之际也不能替你挺身而出。难道你不明白这个道理吗?"赵翰烽犹如骨鲠在喉,要一吐为快。

向媛在椅子上调换了一下叠架的双腿:"谢谢你的提醒,不过感情的事情不是用理智就可以说清的。"

"精辟!"赵翰烽喷了一下嘴巴,"我发现我更喜欢你了。"

"你为什么不问问我是否也喜欢你呢?"

"不用问我就知道,你不喜欢我,但也不讨厌我。我有耐心追求你,直到你也像我喜欢你那样地喜欢我。"

向媛的目光追随着从热饮上飘起来的袅袅烟雾。对赵翰烽她还真有那么一份好感,但她清楚地知道自己是没有资格的。

"你不要枉费心机了,我不会给你机会的。"

"可我会创造机会。"

"你这个人怎么这样死皮赖脸?"向媛的声音坚硬响亮

起来。

赵翰烽的脸色尴尬起来："对不起,我不知道你原来是讨厌我的。走吧,就当今晚没看见过我这个人。"

在赵翰烽起身的那一刻,向媛的心中突然涌过一丝不舍,她叫住他："如果你愿意和我成为一般的朋友,那我愿意和你交往。"

赵翰烽欣喜若狂地坐下来,"如果我约你出来,你会出来吗?"

"朋友间相互见见面,聊聊天是很正常的事情。"

赵翰烽赞许地看着她："现在我知道为什么陈名拥有一个才貌双全的妻子,却还是割舍不下你,你可真是个很有特色的姑娘。"

听到夸奖,向媛心里很舒坦,与林娓聪一比高低的心理又上来了,她控制着紧张的情绪问："请你以一个旁观者的眼光来看,我要你说实话,而不是恭维话。如果你是陈名,你会选择我还是林娓聪做妻子?"

赵翰烽吐着烟圈笑起来,笑得向媛更是紧张万分："你在嘲笑我?如果是这样,我还有什么必要和你做朋友来自取其辱。再见吧。"

"哎,别这样。"赵翰烽伸手拦住她,"我笑是因为觉得你可爱,绝对没有嘲笑你的意思。"

向媛哼了一声,重新坐下来。

"你和林娓聪,就像鱼和熊掌不能兼得,所以陈名才会举棋不定。你们都各有千秋,难分上下。"

"等于没说。"

"怎么等于没说呢?这就是答案啊。难道不是吗?如果能分出高低来,陈名还用得着在你们两人之间弄得团团转吗?"

向媛的声音和神情都黯然下来:"可是他选择了林娓聪结婚。"

"和林娓聪结婚是他犯糊涂,和你结婚也是他犯糊涂。"

"我发现你这个人很圆滑,和你说话总是得不到明确的答案。"

"你还太年轻,到底还是小妹妹。等你再年长十年,就会明白我的意思了。"

向媛感到怅然:"今天就到这里吧,我想回去了。"说完,她拎起皮包,走出了红茶坊。

赵翰烽赶紧追了出来:"我送你回家。"

"不用了。"

"那让我陪你走走吧。"

向媛没有拒绝。

他们漫步在林荫道上,头上星斗横斜,在昏暗中闪闪发光,很诗意。美中不足是树上的叶子已经部分凋落,有些荒凉感,给人以孤寂和冬天正在到来的印象。

向媛感到鼻尖一酸,但赵翰烽突然而来的一句话打断了她的睹物伤情:"我可以吻你一下吗?"

向媛吃惊地看着他。

"对不起,你太可爱了,我决没有要轻薄你的意思。"

"可我们只是普通朋友,这是我们都说好了的。"

"那就让我吻一下你的手吧,你真的让人情不自禁。"

向媛的全部姿势显示出害羞的神态:"不行。"

赵翰烽黔驴计穷地笑了一下:"真没想到,这样一个纯洁的姑娘,竟然会是第三者。"

第三者这三个字像尖针一样刺痛了向媛的心,她感到心在流血。

看见向媛脸色煞白,赵翰烽被吓了一跳,他赶紧说:"对不起,我不是故意要拿话刺你的。"

向媛宽容地摇摇头:"你并没有说错什么,我们就此分手吧。"

赵翰烽恋恋不舍地说:"明天我给你打电话。"

向媛苦笑一下:"不用那么勤快吧?"

"你的身影已经进入了我的心田,沉淀到相当的深度。"

向媛不敢再看赵翰烽那双仿佛被火种点燃起来的眼睛,飞跑着回了家。

母亲早已睡下,弟弟尚未回来。向媛一个人凭坐在案前,从窗外吹入的凉风抚着两颊,她在凝视着暗黑的夜的世界,四周静寂得一点声息也没有。她回想起今晚和赵翰烽的一席话,觉得自己对这个将近四十的男人有一种莫名的亲切感,虽然才刚刚认识,虽然他是林娓聪的朋友,但她还是止不住对他的好感。

32

随着和赵翰烽的频繁接触,向媛越来越信任他了,有一次冲动中,她把和陈名的真实故事一五一十地搬给了赵翰烽听,只是隐瞒了即将出国和沈一允这一章。这让赵翰烽大吃一惊,他在考虑要不要把这一重大发现告诉林娓聪,考虑再三后,最后决定放弃。因为他现在在追求向媛,一旦向媛知道他出卖了她,非恨死他不可。而告诉林娓聪,他却什么好处也捞不到,所以他一直守口如瓶着。

向媛和陈名的约会又多起来了,因为她留在国内的时间不多了,她必须抓紧最后的关头。林娓聪家的骚扰电话在不断增多,但陈名总说是向媛在缠着他,他不去理她,她恼羞成怒才做的事情。但林娓聪总是隐隐觉得不对,丈夫加班次数增多总是个疑点。

林娓聪觉得自己再忍让下去等于就是窝囊废,她的忍让只能增强向媛的气焰,她决定和向媛正面较量一下。

起风了,乌云像波浪一样在追逐奔跑着,月亮在云层深处时隐时现。林娓聪的心怦怦乱跳,虽然理亏的是对方,但要正面交接,她还是下不了决心。

时间在一分一秒地过去,林娓聪终于一咬牙拨通了向媛家的电话:"你是向媛?"

"是呀,你是谁?"向媛的声音显得十分惊讶。

"我是林娓聪。"

一听到这三个字,向媛马上就傻了眼,大气也不敢出一下。

林娓聪的话像川流般地倾泻出来,"你是个可耻的第三者,你不感到自己的行为很卑鄙吗?哼,打骚扰电话,多么下流的动作,可见你这个人素质有多差。你和陈名之间的事情是你们两个人的事情,就该你们两个人来解决,可你为什么要把别人牵扯进去?我本来想把你的这种卑劣行径全部告诉你妈妈的,但我念你年轻糊涂,想放你一码算了。可你倒好,变本加厉起来了。"

向媛任她骂着,既不回嘴也不挂机,显然是被林娓聪的先声夺人给吓呆了。

林娓聪换了口气,声音缓和下来:"我不知道你和陈名之间到底是怎么一回事,你有什么想法可以告诉我,我们两个女人心平气和地坐下来谈一谈好吗?"

对方还是老样子,不说话也不挂机。

"喂,你听到了没有?说话呀。"林娓聪催促道。

对方还是不言不语,从电话里传向向媛紧张的呼吸声。林娓聪摔下电话,暗骂一声:"敢做不敢当的胚子!"

她随即又拨了一个电话给赵翰烽,语气是质问式的:"你为什么还没有把向媛追到手?你知道她死盯着我老公不放手。"

"她盯着你老公?那你老公呢?"

"我老公要和她分手,她不肯。"

"天真的林娓聪,苍蝇不盯无缝的蛋,你老公意志若是坚定,向媛又怎么盯得上呢?"

赵翰烽冷冰冰阴森森的话使得林娓聪一阵阵地胆寒:"难道他们现在还在联系?"

"何止是联系,还上床呢。"说到上床两字,赵翰烽发现自己已经坚挺起来了。

"你胡说! 你分明是在挑拨我们的夫妻关系。"

"你到我家来,我把一切都告诉你。"

"原来你早知道一切,为什么早不说?"

"说了对我有什么好处?"

"我会给你好处的,你要多少钱?"

赵翰烽嘿嘿笑起来:"我赵翰烽要女人的钱? 你什么时候看见我赵翰烽要过女人的钱了?"

"那你要什么?"

"你知道的。"

"开玩笑,我已经结婚了。"

"这样的老公不要也罢。"

林娓聪叹口气:"看在我们是多年的朋友的份上,告诉我实情好吗?"

"我没说不告诉你呀,明天你来我家,我什么都告诉你。"

"为什么一定得来你家呢?"林娓聪知道赵翰烽是一个人住,她觉得他有某种企图,这个猜测令她心慌意乱,又不得不直面问题。

"因为我家的电话上装有扩音器,我让你亲耳听听向媛说什么。"

强烈的好奇愿望让林娓聪不假思索地答应下来,即使有对赵翰烽企图的恐惧,但一想到丈夫依旧在骗她,依旧在与那个可恶的女人同床共枕,她的心都要碎了。还有什么事情比这个更重要呢?

　　恋爱的往事如风如歌一般飘渺而隐约,既虚幻又真实。那个时候他是多么珍惜、爱慕她啊。可究竟是什么样的劣根让他走火入魔,一次次地背叛、欺骗她呢? 林娓聪不敢回忆,不敢深想下去,那对她是一种彻底地折磨。她突然爆发出一阵大哭声,似乎这样不仅是一种最好的发泄方式,更是一种逃避在眼泪里的最好的解脱。

　　理完发上楼的陈名看见这个景象,吃了一惊,心里一个劲地打鼓,连问话的声音都有些发抖:"你怎么了?"

　　"你现在还在和向媛联系着对不对?"林娓聪大声喊着,好像疯了一样。

　　"没有的事,我早说过已经和她一刀两断了,她心里气不过,才一天到晚打骚扰电话给你的。"

　　水晶玻璃的枝形大吊灯在铺着灰布的桌子上面明晃晃地发着光,照着陈名的脸,看不出有撒谎的痕迹。

　　"你发誓。"

　　"我发誓如果还和向媛有来往,就让我不得好死。"

　　见陈名说得认真,林娓聪平静下来,她一字一句地告诫道:"如果我发现你在撒谎,我们就离婚。"

　　陈名一把抱住她:"亲爱的,人生一世,草木一秋。你为什么有离婚这样的傻念头呢? 再好的人生离过婚总是不完美的。"

　　"我们的人生早就不完美了。"

陈名安慰着悲伤的妻子,虽说离婚还可以和向媛结婚,但他也极不愿离婚,一方面林娓聪比向媛强得多,一方面离婚也实在麻烦。有一次他试着提起有没有姿态和另外一个女人共同分享丈夫,当时的林娓聪马上露出一副要杀人的神态,吓得陈名忙说这是开玩笑的。看来女人都是小气的,虽说向媛说她不在乎当情人,但却疯了一样打骚扰电话,说明她还是妒忌,还是不愿意和另外的女人分享她的爱人。

想到明天,林娓聪感到胸闷。如果赵翰烽没有十分把握,怎么会让她偷听向媛和他的对话? 而这边陈名却在矢口否认,一副无辜的样子。

林娓聪站起来,顿时感到天旋地转,好像是在成千上万米的高空中。她捧住脑袋尖叫起来。

陈名赶紧抱住她,看见深受刺激的妻子,他感到难过,但是向媛对他那么温柔痴情,他怎么能狠得下心来抛弃她呢?

风在窗外呼啸,黑沉沉的乱云在翻腾飞驰。

"我要出去吹吹风。"林娓聪朝门口走去。

"你发什么疯啊。"陈名急得大叫。

林娓聪没有理睬他,坐电梯到了小区花园。她站定下来。稀疏的已经枯黄的草散散落落地覆盖着花坛,风忽强忽弱地吹拂着,这一阵一个劲儿地擦着叶片,那一阵像用锋利的耙子耙着,再一阵又像挥动着柔软的笤帚扫荡。

"娓聪,别犯傻了,我们上楼吧。"不知什么时候,陈名出现在她面前。

林娓聪颤抖着看着他的脸,那是一张正在怜惜她的脸。林娓聪突然紧紧抱住他,但决无浪漫的感觉,她只想紧紧抱着丈夫,怕他像美人鱼一样在黎明变化成泡沫。

33

清晨湿润而明媚的朝气早已催分出一层层的芳香,林娓聪出现在赵翰烽的家门口。

"我的老天,你这么早就来了,幸亏我今天没有睡懒觉。"赵翰烽开门后,吃惊地叫道。

林娓聪望着他那过分宽大、仿佛随时都会掉下来的裤子,感到有些别扭,她扭过头去说:"对不起,我太性急了,因为你在电话里说的话很难令我相信。请你现在就给向媛打电话吧。"

赵翰烽挂着一脸诡秘的笑容看着她,多年未见的美女林娓聪比过去消瘦点了,有一种清虚疏朗的神韵,令人仿佛看见了一个天使,处女较之也要逊色。赵翰烽脸上暧昧的笑渐渐转成了一种敬意。

"先进来坐吧,喝什么饮料?"

"什么也不喝,你快打电话吧。"

赵翰烽看了一下钟:"她可能去上班了吧,不如中午再打,她中午要回家吃饭。"

"要等到中午?"林娓聪突然感到无比失望,随后又是一阵空虚,"那现在干什么?"

"现在讨论一下你怎么谢我的话题。"赵翰烽脸上的敬意消失了,那种色迷迷的笑重新回来了。

林娓聪隐隐感到不安,但她不愿意往那个地方去想:"你就明说吧,要我怎么谢你。"

"先轻松一下吧,看盘带子怎么样?"赵翰烽说着,也不管林娓聪是否同意,就往 VCD 机器里放了一盘碟片,"是一盘跳舞带,松弛一下你紧张的神经。"

林娓聪无可奈何地将目光投向电视屏幕,她看见一个穿着三点式的外国女郎正在翩翩起舞,她肆无忌惮地表演种种舞蹈,那些灵巧固定的动作,能使人想到最可怕的情欲的动作。

她不自在起来:"关了吧,我不爱看。"

赵翰烽站起身来,但并不是去关 VCD,而是伸手去拉林娓聪。

"你干什么?"林娓聪惊恐地甩开他。

"你不是要报答我吗?"诡秘暧昧的笑容在赵翰烽的脸上更加浓重起来。

"无耻!你想乘人之危?"林娓聪用怒斥来掩饰她深深的恐惧和厌恶。

"谁你让这么美,这么让人把持不住。"赵翰烽说着,鼻息粗重起来,他动作粗暴地把林娓聪抱进怀里。

"放开我,你这个无耻小人,我要回家。"林娓聪挣扎着朝门口挪动。

"也许你不知道吧,向媛并不是爱你的丈夫,她这么做只是在报复他曾经欺骗了她。可你的老公却一头跌进去了。有一阵向媛想结束这种报复,可你的丈夫却死缠住人家不肯放手。"赵翰烽快速地说着。

林娓聪霎时手脚冰冷,不能动弹,她灰白着嘴唇说:"你撒谎!陈名说他甩不掉向媛,他一点都不喜欢她。"

赵翰烽大笑起来:"这种骗小孩子的话你也相信?向媛又年轻又文雅,男人怎么会不喜欢呢?向媛现在已经把我当成了推心置腹的好朋友,她什么话都对我说,不信你可以等到中午,在一边听着。"

林娓聪犹豫起来,她太想搞清楚陈名有没有骗她了,但一想到要以和赵翰烽上床来作为代价,她就退缩了。

赵翰烽从林娓聪痛苦的表情中嗅出怨妇的芳香,他眼睛深处好色的眼神赤裸裸地表现出他的欲望。他仔仔细细地观察着林娓聪精雕细琢般的五官,望着她那像一天天沉积起来的冰雪般苍白的脸色,再也控制不住自己,他要使用武力了。

林娓聪被他压在床上,突然感到无比厌恶,是哪个混蛋王八蛋说过那么一句话——女人都渴望被强奸。如果强奸者是一个丝毫不能让自己动心的男人,那强奸就是一种酷刑。

经过近半个小时的搏斗,赵翰烽终于没有得逞,他气馁地退下来,坐到沙发上喘着气说:"你走吧,别再来打听向媛和你老公的事情。"

林娓聪傻子一样站着,不知道该怎么办才好。

看着她凌乱的,依然显得出波浪形状的垂至后脖根的卷发,赵翰烽淫心又起,他搞不懂拥有这样一个性感的老婆,陈名怎么还迷恋拘谨的向媛呢。林娓聪的体态不怎么丰满,但婀娜多姿,洋溢着女性的风韵,很容易就能引起男人的欲望。

"你可真傻啊,他背叛伤害你,你却为他坚守贞操。就是报复,也要和别的男人睡上一觉。不然你一定会心理失衡,会发疯的。"

赵翰烽的话击中了林娓聪的要害,她双膝一软,跪倒在地上。赵翰烽趁势上前把她抱到床上,熟练地剥去了她的所有衣衫。

占有似乎是没有止境的,痛苦也没有尽头,她忍受着一个她一点感觉都没有的情场老手炼狱般的折磨。当一切都结束的时候,林娓聪竟有恍如隔世的感觉。

"让我抽支烟,然后马上给向嫒打电话。"赵翰烽心满意足地说。他刚才征服了骄傲的白天鹅,完成了他一直以来的心愿,这还真得感谢她那个不忠的丈夫,不然这辈子他恐怕连林娓聪的脚丫都舔不到。

"已经中午了?"林娓聪惊醒过来。

"是啊,我很厉害吧,你的老公一定望尘莫及吧?"赵翰烽得意地说,然后四下嗅了嗅,好像一条找食的狗一样:"你的身体好香啊,满屋子都是你的清气,倒像是谁带来了一枝白丁香似的。"

两行屈辱的眼泪夺眶而出,她厉声道:"现在请你遵守诺言打电话吧。"

"行,你就在一边安静地听着吧,不过一定得有耐心,向嫒一和我打起电话来,她的唾液腺就进入分泌旺盛期。"赵翰烽看着林娓聪的泪眼说。她的眼睛此时看上去就像一汪清水,以至当她闭上眼睛时,就会让人觉得像是合上了一道帘幕,遮蔽了凝望大海的视线。再往下看去,脱光衣服的林娓聪娇艳无比,又白又嫩,就像一轮朝阳,把寒碜的陋室都蒙上了一层动人的金光。

林娓聪被他看得几乎羞涩得要窒息过去,她一把拉过被子盖住身体:"够了!"

赵翰烽放出一串浪笑,然后将连接在电话机上的扩音器打开,回头对林娓聪说:"千万不要出声,我打电话了。"

"等一下,我要去洗个澡。"林娓聪突然说。

"好,我去给你放水。"赵翰烽表现得十分殷勤,说着就赤身裸体地朝卫生间走去。林娓聪闭上眼睛不去看他,她觉得这个躯体既肮脏又丑陋。

半分钟后,赵翰烽转回来:"可以了,去洗吧。"

"把头掉过去,不许看。"林娓聪命令道。

"真是多此一举,干都干了,还在乎看?何况刚才早看清楚了。"

"我让你回过头去。"林娓聪大喝一声,屈辱的眼泪再次涌满眼眶。

赵翰烽露出可笑的神情扭过了头,林娓聪抱起自己的一大包衣裤飞跑进卫生间,关死了门。

莲蓬头里温暖的水温柔地冲到她的身上,身上赵翰烽滴落的汗水虽已洗掉,但对他的憎恶还残留在心头。林娓聪想杀人,然后自杀。

当她走出卫生间的时候,看见赵翰烽依然半躺在床上吸着烟,但衣服已经基本穿好。

"快打电话。"她坐在沙发上说。

赵翰烽摇着头笑着掐灭烟头,拨通了向媛家的电话号码。

"赵翰烽,是你?"向媛听见赵翰烽的声音,显得很高兴。扩音器的效果相当不错。林娓聪竖起耳朵,一字不漏地听着。

"最近好吗?"

"不好,昨天林娓聪给我打电话了,威胁说要告诉我的妈妈。"

"放心吧,我了解林娓聪,她是不会去找你妈妈的。"

"陈名也这么说,他说林娓聪只会针对他,不会针对我的,叫我不要害怕。"

林娓聪感到心在滴血,陈名骗得她好苦。赵翰烽做了个不要出声的动作,然后笑哈哈地问向媛:"看来陈名还是蛮宝贝你的嘛。"

"那当然了,他在我的面前就像一条狗一样。"

"既然他那么疼爱你,你就不要再打骚扰电话了,林娓聪天天和他吵得不可开交。"

"我就是要他没有好日子过。谁不让我有好日子过,我就不让他有好日子过。"

"我又要劝你了,放手吧。请你可怜可怜林娓聪,她现在都快要发疯了。你要报复陈名,也不必扯上林娓聪啊。"

向媛久久不语,林娓聪的眼泪珍珠般滚落下来。

"喂,向媛,你在听吗?"

"是的。"向媛的声音暗沉下来。林娓聪突然听出,这个熟悉的声音就是林玉洁,原来林玉洁不是偶然的,这根本就是一场处心积虑的阴谋。

"我劝你放手,你听吗?"

"我不听。"

赵翰烽叹了口气:"我要去吃午饭了,我们待会再聊。"

"午饭吃什么?"

"出去看看再说,反正是一人吃饱,全家不饿。"

向媛被逗笑了,她挂上了电话。

赵翰烽看着林娓聪:"怎么样,我没骗你吧?"

林娓聪站起来,头重脚轻,她飘忽忽地说:"我该回家了。"

"等等,我请你吃饭。"

"不用了。"林娓聪梦游一样出了门。

赵翰烽在身后着急地喊道:"如果还需要我打电话的话,尽管来,我不嫌你早。"

路上是匆匆而行的路人,川流不息的车辆,都正循着它固有的节奏行进着。林娓聪融合在他们里面,谁也不知道她内心怀着多么巨大的悲痛。

回到家,打开门,大幅的婚纱照扑入眼帘,好像是怀着恶意的讽刺一样地在欢迎着她。林娓聪突然明白,结婚不但是少女向青春告别的标志,更是向那充满幸福和从不受人伤害的少女岁月的正式告别。从结婚的这天起,她得进入一个未知的世界,在那里等待她的将是真正的人生。结婚未必是值得大喜特喜的日子,而是一个严峻的休止符和另一个出发点。

"现在真相大白了。"她一语双关地对自己说,然后一头栽倒在地上。

天色暗下来的时候,陈名回到了家,林娓聪刚刚苏醒过来,显得十分苍白、虚弱和恍惚。

陈名敏感地感到不对劲,他小心翼翼地问:"你怎么了?"

"什么怎么了?"林娓聪的唇上挂着冷漠的微笑反问。

陈名望望冷冰冰的锅台问:"你怎么不烧饭?"

"我怎么知道你回不回来吃饭呢? 昨天我刚打过电话去骂过你那个小情人,我想着你今天一定会亲自跑去安慰她一下的。不是仅仅在电话里对她说一声'不要害怕,林娓聪不会伤害你的,她只会针对我'就算了的。"

陈名的脸色立时煞白,妻子怎么会知道他跟向嫒说的话?难道她和向嫒又通过电话了?不对呀,下班前他还跟向嫒打过电话呢,没见她说起这件重大的事情啊。一定是林娓聪瞎猜的,正好被她猜对了。

丈夫的表情更进一步证实了这个她所不愿面对的现实,林娓聪惨痛地摇着头说:"我们离婚吧,这样的婚姻有什么意思。"

"不可以的。"陈名脱口而出,这样好的妻子他都不要,他不是大白痴吗?何况他还是很爱她的。"你不要瞎想了,我和向嫒真的没有来往了。"

"算了吧! 我最讨厌敢做不敢当的男人了。我全都知道了。"

"你知道什么呀,不过是凭空猜测罢了。"

见陈名还在做着垂死挣扎,林娓聪心中的厌恶、痛心和绝望已经达到了极点,她恶毒而惨烈地笑着说:"今天我和一个男人,就是那个赵翰烽上过床了,他和向嫒是好朋友,他们在电话里的对话我听得清清楚楚。陈名,你不但卑鄙,而且愚蠢。我把你和向嫒说的话都背下来了,你就应该知道我已经知道前因后果了,你却还在狡辩,你说你是不是蠢到极点了?还有,赵翰烽的床上功夫比你好多了,无论是技巧还是时间长度,和他比起来,你充其量只是一个幼稚园里的小弟弟。"

陈名气疯了,他抡起巴掌给了她一个耳光:"婊子!"

林娓聪也还了一个大头耳光给他:"是的,我是一个婊子,这下你该同意离婚了吧?"

"你!"陈名本来还想对她的这种厚颜无耻表示一下自己

的厌恶,但是妻子的脸色却清清楚楚地告诉他,她把什么事都看穿了,对一切都无所谓了。她的这种一切置之度外的高傲态度把他震骇住了。

两人恶狠狠凄绝绝地对峙了片刻,陈名突然痛哭流涕起来:"都是我不好,我一定和她断,你再给我一次机会吧。"

"我已经给过你机会了,谁让你自己没有把握好呢?向媛并不是真对你好,她只是在报复你而已。可你对她,倒是死心塌地,全心全意。"

"你说什么?"陈名抬起头,不相信地问。

"这都是她亲口告诉赵翰烽的。好了,该说的都说了,我们好聚好散吧。如果你不同意协议离婚,我只能去法院起诉了。"

见林娓聪态度坚决,虽说陈名并不怎么相信林娓聪说的向媛是报复他的话(向媛对他那么好,怎么会是报复呢?)但他还是极不愿意离婚。见苦苦哀求也没有用,他突然口气强硬起来了:"离婚可以,但你不能要儿子。"

从来没有考虑过儿子将会被卷入家庭的纷争中去,强烈的母爱迫使林娓聪大声喊叫起来:"儿子是我的,是我一个人的,你没有资格做他的父亲。从儿子生下来到现在,你为他做过什么?"

"不管做过什么,我都是他的父亲。"

"你这种人根本不配做父亲,不配有儿子。"

"哼,那就试试看吧,我法院里有熟人,儿子百分之百会判给我的。"

林娓聪摇摇欲坠,已经没有了丈夫,还将失去视为生命的儿子,那样的生活,不是比地狱还要地狱吗? 她不敢往下想下去了。

见林娓聪出现犹豫彷徨的神态，陈名马上不失时机地抱住她说："让我们重新开始，我保证再不和向嫒有瓜葛，我去和她谈一次，最好你也能一起去。你不知道，你在我心中的分量，是没有谁能够比得上的。"

林娓聪感到自己就要崩溃了，而当她倒下去，接住她的救命物，却是她的丈夫。

34

广场上寂无一人,初升的朝阳斜射在上面,明晃晃地仿佛铺上一层金子。向媛提前一个小时到了。她实在想不通,为什么她屡屡受到男人的欺骗和伤害,先是陈名,再是赵翰烽。她一直都那么相信赵翰烽,一直都把他当大哥哥,却不料他会在关键时刻出卖她。昨天,陈名在电话里把她大骂了一通,说他上当了,原来她一直都在报复他。她恨她自己,以为经过恋爱的致命打击的自己会从此成熟聪明起来,却依然还是愚蠢幼稚,这样轻信一个不熟悉的人,而且这个人还认识林娓聪,她怎么就这么不小心,会对林娓聪的朋友不加防范呢? 如果不是赵翰烽的出卖,说不定她已经成功了吧? 可是现在,成功的可能性几乎为零了。不行,她不能就这么认输了,她一定要让他们两个人离婚。

　　没想到陈名也提前半个小时就到了,看见他那布满血丝的眼睛,就知道他也是一夜未眠。

　　"陈名,"向媛扑过去说,"你来了,你知道我有多怕失去你吗? 我们现在到花鸟市场去好吗?"

　　"花鸟市场?"

"是的,我想看看,有没有卖水笔仔的。如果有,无论多贵,我都会把它买下来的。"

"水笔仔?"

"是啊,那是一种很珍贵稀罕的植物,就像一种珍贵的爱情,在这世间越来越少,越来越不容易得到了,因为太多的人已经不愿意再去爱,再去相信了。我要把它买下来,因为它象征着我们的爱情。"

陈名好不容易筑了一个晚上的铜墙铁壁被向媛的这番肺腑之言弄塌了,他不知道接下来该怎么和向媛谈,怎么回去向妻子交代。

"我对你是真心的,不要相信林娓聪的那些话,她是骗你的。"

难道骗我的那个人会是林娓聪?自己朝夕相处的枕边人竟然会善于戴着一副伪善的假面具来陷害他人?在妻子和情人都是单纯的情况下,陈名希望既能拥有妻子,也不失去情人。但现在事情发生了变化,其中的一个人是可耻的骗子,阴险的小人,他就必然要放弃一个了。他怎么能成天搂着一匹狼跳华尔兹呢?可是究竟是林娓聪在骗我还是向媛在坑我?反正其中必有一个不是善良之辈,我一定要调查清楚,如果真相大白于天下,我一定会对真诚的那个好上二十倍,用我的一生来报答她;一定会对那个欺骗我的毫不手软。

主意一打定,陈名的语气也坚定起来:"向媛,我们暂时分开一段时间,等我弄清楚林娓聪确有险恶用意,我一定和她离婚,并让她一无所有。然后,我会隆重地把你娶回家。"

"分开一段时间?"向媛傻了眼,她的时间已经不多了,她恨沈一允为什么这么快就把她的签证给办好,让她连回旋的余地都没有。"那我不是要想死你了吗?"

"两情若是久长时,又岂在朝朝暮暮。向媛,如果你是真诚的,上天一定会给你一个满意的结局。"

"可你怎么来弄清楚事实真相呢?"

"我会有办法的。在我还没有弄清楚之前,我们就暂时不要见面了。"

向媛急了:"难道你几年都弄不清楚,我们就几年不见面吗?"

"是的。但我相信用不了那么长时间。"

"你这分明就是在变相地甩掉我嘛。陈名,我恨你。"丢下这句话,向媛捂着脸跑了。失败的可怕预兆阴云一样笼罩了她。

陈名抬头望着冬天特有的白色天空,把眼睛里的眼泪倒回去,然后回家。

当陈名按响门铃的时候,林娓聪的心狂跳起来。这一刻她明白自己原来还是这样爱着丈夫,说要离婚,不过是一时的气话罢了。

"谈清楚了? 和她永远分手。"

陈名一进门,林娓聪就问。他点点头,然后躺到床上去。

像笼罩着云霞的灰色田野在日落时分突然开朗一样,林娓聪的脸也顿时露出喜色。她尾随进去,坐在床沿上。突然她发现丈夫胡子拉碴,脸色青灰,神态更是努力压制住的一种痛苦。

"陈名。"她叫了一声,没有反应,她又叫了一声,丈夫突然像触电一样弹了一下道:"有什么吩咐?"

"你在想什么?"

278

"我在想向媛怎么会骗我呢？如果一个人的演技好到这种程度，不是太可怕了吗？"

"都已经过去了，还想她干什么？"

"我一定要把事情弄清楚。"

"什么？"林娓聪失声道。自负的鲤鱼在没有碰得头破血流之前，总还是要逆着瀑布往上跳的。

她的丈夫一向来都是太过自信了，他自己可以欺骗别人，却容不得别人欺骗他。

接下来的日子里，陈名开始了调查工作，他首先找到了赵翰烽，但狡猾的赵翰烽却什么也不肯说，而且还根本否认睡过他老婆的事实，但陈名从他的眼光中看出来，赵翰烽在撒谎。

陈名想打人，第一个想打的人就是赵翰烽。

调查工作陷入了死谷，向媛每天都要给他打十来个电话请求见面，他拒绝了，他不能再在无尽的吵闹和打斗中度日了，而且他更害怕绝望的林娓聪会再去向赵翰烽投怀送抱，一想到妻子和那个床上功夫比他好好几倍的男人的颠凤倒鸾的情景，他几乎要发疯了。他们已两败俱伤，筋疲力尽，不能再打闹下去了。

但他又同时发现，他还是很爱向媛的，没有向媛的日子像一潭死水，而且向媛每个真诚热烈的电话都在摧毁着他的意志，他不知道自己还能扛多久。和向媛继续在一起的幻想，好似空中的断云，一片一片地涌上心头。

林娓聪看见丈夫嘴边那苦痛的皱纹和朦朦胧胧的眼睛里，隐藏着愁闷。于是林娓聪明白，男女的感情也和吸鸦片一样，相互感情很浓厚了，一旦要隔绝，正如一个多年的瘾君子立时戒烟一样，其痛苦是不能形容的。与其让他生活在这样的痛苦里,还不如让他回到以前的快乐中去。林娓聪用颤抖的手抚摩着丈夫的头发,用颤抖的嗓音说:"去吧,你去找她吧,我和她和平共处。"

陈名猛地睁大了眼睛,他看见与向媛的分手并没有把妻子滋润得草肥水美,反而让她更加忧郁焦灼了,他就知道他的痛苦在无形中浸染了妻子。而她妻子说出这句"与她和平共处"的话来时痛苦的自我牺牲的表情,与向媛那时候很轻松地说出来的样子完全不同,这一刻他就明白那个欺骗他的人是谁了。他把妻子搂进怀里:"你放一百个心吧,我不会再去找她了,我会对你二十倍的好。"

这个时候,骚扰电话十个二十个地进来了。

"这个该死的,我去找她算帐。"陈名暴跳如雷道。

"不,还是我去找她吧,也许有些事情女人和女人反而能说得清楚。明天我去她的学校找她,你就安心去上班吧,我会把事情处理好的。"

陈名动情地说:"我陈名何得何能,竟能娶到你这样一个深明大义、智慧如海的妻子。"

弯弯的月牙挂在空中,朦胧中露出一轮光环。月光从窗口照进来,犹如黄昏的暮色一般。林娓聪和陈名在月光里深情接吻。

"我找向媛。"林娓聪拨通了××小学的总机说。

"你是谁?"总机小姐警觉地问。

真是奇怪。林娓聪心想。她说:"我是她的同学,请帮我接一下她。"

她的同学?她的同学难道会不知道向媛早就辞职了吗?

黄美娴心想,这其中必然有诈。她热情地说:"向媛病假,你打到她家里去吧,要不然你留个名字和电话号码也行,等她来了我让她打给你。"

"谢谢,不用了,我打到她家里去吧。"林娓聪放下电话,复又拿起,她拨了向媛家的电话号码,却没人接。

真是奇怪,既然病假,怎么不在家里好好休息呢? 似乎这其中有点问题,而且总机小姐怪怪的,好像和向媛串通一气的样子。不如打给她们的教导主任问问看吧,但总机小姐若是听出她的声音来,怕是会说教导主任也不在吧。

林娓聪左右为难,最后决定伪装一下声音,蒙一下看。实在不行,就亲自到学校跑一趟。她把从书本上看来的知识运用到生活中去,在电话筒上蒙上一块布,然后捏着鼻子说:"请转教导主任。"

总机小姐果然上当了,将电话转到了办公室里。

"喂?"一个中年男子的声音,大概这就是教导主任了。

"我找向媛。"

"向媛?"男子显得十分惊讶的样子,"向媛早就不在这里工作了。"

"怎么会呢?"林娓聪更是吃惊不小。

"她要出国,所以辞职了,听说现在签证已经下来了,这两天就要走了。"

"啊!"林娓聪的震惊无法用言语来表达,事情和她想的完全不一样,比赵翰烽告诉她的还要深化。

"你究竟是谁啊?"

"我是她同学,对不起,麻烦你了。再见。"

放下电话,林娓聪惊魂未定,这真是个天大的阴谋,现实生活中怎么还会有这样离奇的事情。向媛，那究竟是个怎样的女人哪。看来她曾经是深深爱过自己的丈夫的，不然不会恨他到拿自己的身体和终身幸福来报复一个男人。难怪作家无名氏要说：有些人主张爱名、爱钱，或者爱自己，但千万不要爱别人，这实在含有一部分至理，你如果要彻底爱一个人，那实在是可怕的！比炼狱还可怕！如果爱到极端，那不但不美丽，并且还极其丑陋。

该不该把事实真相告诉陈名呢？如果告诉他，一定对他的打击很大，特别是自信心的打击。但是如果不告诉他，在他的心底，他还是会爱向媛的。林娓聪陷入了两难之中。

还是让这个秘密永远保存下去吧，反正过两天向媛就要出国了，她不会再骚扰他们了，而陈名也发誓不再找她了，就让噩梦永远过去吧。

林娓聪的如意算盘打得好好的，但是陈名却不放过她，每天他都在追问有没有找过向媛，见妻子一副吞吞吐吐的样子，他的疑虑顿起。而且向媛每天十几个的电话也一下子消失了，不能不让他奇怪万分。他忍不住瞒着妻子给向媛的家里打了个电话，电话里却明明白白地告诉他：您拨的电话号码是空号。再打她手机，也早已是空号了，找到她的学校，老师们告诉他，向媛早就辞职，准备出国了。他想冲到她家里去质问她，却发现他到现在还不知道向媛的家到底在哪里，他只认识那个池塘。

一种叫天天不应，叫地地不灵的可怕的感觉包裹了他，一个大骗局差点就毁了一个美好的家庭，一个至善的妻子，甚至是他一生的幸福。什么水笔仔般的爱情，这分明就是一朵大王莲，美得炫目，大得遮天，却不能靠近，一靠近，那股奇臭就能把你给熏倒。

　　没有想到啊,当向媛像一个包装精致的礼品盒被他深情地打开到最后时,他却惊惧地发现里面原来装了一枚定时炸弹。

　　当林娓聪出现在他面前时,他紧紧地闭上眼睛,仿佛觉得自己的心羞涩得完全静止了,他怎么也不敢去看那一双如月亮般清澈明亮的眼睛。他只知道自己会用一辈子来偿还她所受到的屈辱。从此后,弱水三千,只取一瓢饮。

35

　　一个年轻女子不高不矮,不胖不瘦的背影出现××小学门口,一看见这个背,就有一股电流似的感情使桂丹霜认出了那个女郎是谁。

　　"向老师。"

　　虽然她的叫声好像蚊子一样轻,但在肃静无哗的学校门口,还是显得那么清晰刺耳。向媛回过头去,马上叫出了女孩的名字:"桂丹霜?"

　　"向老师。"激动的泪花出现在桂丹霜的眼睛里。

　　"你怎么还不去上学?"

　　"今天家里有事,所以来晚了。"

　　家里有事? 向媛记起来,这个女孩有个奇特的、贫困的、悲哀的家庭。除了她,全是半文盲的大男人。幸亏上苍赐给了她奇丑无比的容颜,不然在这样的环境里,怕是要被自己的亲属给猥亵,甚至强奸了吧?

　　"那赶快进去吧。"向媛侧过身子想让桂丹霜进去。

　　"向老师,你又回来教课了吗?"桂丹霜并不进去,她用一双充满希冀的眼睛看着她最崇敬和喜爱的老师的眼睛问,她觉得老师的眼睛很迷人，看人时有一种特别的神采。

"不，我明天就要出国了，今天特地来看看老朋友。"向媛说道，心中有说不出来的酸楚。一向不讨人喜欢的丑小鸭——桂丹霜在她的眼里，都变得十分可爱起来。她怕自己的眼泪会掉下来，有损人类灵魂的工程师的威严形象，于是转身进了学校大门，把自己脆弱的一面掩藏起来，她头也不敢回地直奔总机室。

看见向媛推门进来，黄美娴又惊又喜，当她得知向媛是来告别的时候，不由产生了难舍难分的感情，她哽咽地说："此去经年，苍天易老。向媛，我们还会见面吗？"

向媛抱住黄美娴，泪水夺眶而出，此时所有的猜疑和怨恨都没有了，她感到自己分外软弱，她的世界里不能全是仇恨，她也需要爱。"美娴，你不是也想出国吗？我会帮你办的。在异国他乡，我们还是好朋友，是最好最好的好朋友。"

"向媛，我明天去送你登机，我明天请假。"黄美娴已经泣不成声了。

"明天就要走了，"向媛喃喃自语，"只是便宜了陈名。"

黄美娴不知道该怎么安慰向媛才好，整个报复计划以惨败告终，她知道什么样的安慰对向媛来说都是没有用的，只有寄希望于时间和沈一允的爱来冲淡向媛心中的仇恨和不甘。

"让我再看一眼我在祖国工作过的地方。"向媛放开黄美娴，走到窗口，她突然看见了顾伟，恰巧他也看见了她。他痴痴呆呆地望着她，眼神可以说是一堆乌云中漏出来的闪电。向媛的心一跳，离开窗口，问黄美娴："顾伟有女朋友了吗？"

"有了，不过听说只是他妈妈满意，而他不满意，听说他心中装着什么人。"

向媛的心又是一跳：那个人不会是我吧？

"你不是要看看你工作过的地方吗？出去看看吧。"

"算了，我怕碰到人。在这里，我只有你一个朋友。其他人——"向媛摇了摇头。

"那就坐下来，我们聊聊天吧。"

"不，我该回去了，明天就要登机了，还有好多准备工作呢。"

黄美娴握紧她的手："明天我一早就来你家。"

向媛最后拥抱了一下黄美娴，头也不回地大步走了出去。

在虹桥国际机场，长发披肩、白衣素裹的向媛显得凄美而独立。

从离开家门到送女儿上飞机，向母的眼泪就没有干过。虽然女儿是去寻找未来的幸福，但从没有一天分别过的女儿，一直都相依为命的女儿就此千山万水地走了，做母亲的却有太多不舍和牵挂。

与母亲不同的是向媛，她欲哭无泪，她的心中虽然有和家人分别的难舍难分，但更多的还是对失败计划的惋惜。本来最后她是要运用三十六计中的第二十一计——金蝉脱壳的，但现在她只能无奈地使用了最后一计——走为上了。那种感觉分外苦涩，就像中了一百万大奖的人，正要拿到钱时，却发现只是一个被惊醒的美梦。她倒希望这能是一场真正的噩梦，醒来后，她还是那个从肉体到灵魂，都是冰清玉洁的向媛。

飞机越爬越高，终于自由自在地飞进了一片宁静纯洁、充满阳光、像钻石般湛蓝的天空，只有远处有些长长的白纱一样纤薄的浮云。